YOUTH 经典译丛 11
人猿泰山

泰山和十字军
Tarzan, Lord of the Jungle

［美］埃德加·伯勒斯／著
毕可生 孙亚英／译

中国青年出版社

（京）新登字 083 号

图书在版编目（CIP）数据

泰山和十字军/(美)伯勒斯（Burroughs, E.R.）著；毕可生，孙亚英译.
—北京：中国青年出版社，2013.7
（人猿泰山系列）
书名原文：Tarzan, Lord of the Jungle
ISBN 978-7-5153-1813-4

Ⅰ.①泰… Ⅱ.①伯…②毕…③孙… Ⅲ.①儿童文学—长篇小说—美国—现代 Ⅳ.①I712.84
中国版本图书馆 CIP 数据核字（2013）第 172792 号

责任编辑：杜惠玲　谢肇文
封面设计：瞿中华

出版发行：中国青年出版社
社　　址：北京东四十二条21号
邮　　编：100708
网　　址：www.cyp.com.cn
编辑电话：010-57350504
门市电话：010-57350370
印　　刷：三河市君旺印务有限公司
经　　销：新华书店

开　　本：620×920　1/16
印　　张：17
插　　页：1
字　　数：180千字
版　　次：2015年5月北京第1版
印　　次：2015年5月河北第1次印刷
定　　价：23.00元

本图书如有印装质量问题，请凭购书发票与质检部联系调换
联系电话：010-57350337

猿语(泰山的母语)——中文对照表

动物

巴拉——鹿

勃勒冈尼——大猩猩

布吐——犀牛

旦格——鬣狗

杜罗——河马

戈格——水牛

豪尔塔——野猪

吉姆拉——鳄鱼

库图——老鹰

努玛——雄狮

派可——斑马

盘巴——老鼠

沙保——母狮

吞特——大象

希斯塔——蛇

希塔——花斑豹

(　　　)——(　　　)

(　　　)——(　　　)

自　然

戈罗——月亮

库都——太阳

(　　　)——(　　　)

(　　　)——(　　　)

人

戈曼更——黑人

塔曼戈——白人

(　　　)——(　　　)

(　　　)——(　　　)

你还能找出多少来呢?

目 录

一　大象 …………………………………………… 001

二　野性的盟友 …………………………………… 013

三　托亚特的大猿们 ……………………………… 024

四　黑猩猩 ………………………………………… 032

五　白人 …………………………………………… 042

六　闪电 …………………………………………… 051

七　大十字架 ……………………………………… 063

八　陷害 …………………………………………… 071

九　查理爵士 ……………………………………… 079

十　乌拉拉还乡 …………………………………… 093

十一　布莱克·亨特·詹姆斯先生 ……………… 107

十二　"明天你死定啦！" ………………………… 123

十三　在赞得的帐篷里 …………………………… 135

十四　宝剑与盾牌 ………………………………… 147

十五　一座寂寞的孤坟 …………………………… 164

十六　大比武 ……………………………………… 173

十七　撒拉逊人入侵 ……………………………… 186

十八	黑衣骑士	······	194
十九	泰山爵士	······	206
二十	"我爱你!"	······	220
二十一	"抢掠珠宝必用血来偿还"	······	232
二十二	大猿的新娘	······	241
二十三	泰山家的金毛狮子	······	249
二十四	团圆之路	······	257

一
大　象

　　大象在丛林里悠闲地走着，大鼻子也随着沉重身体的左右摇摆甩来甩去。与鬣狗、猎豹、甚至丛林中的霸主雄狮相比，大象也算得上是无所畏惧的大力士。它们在祖先走过的土地上不断走过，脚下大地震颤，仿佛几百年都没有变过。

　　大象与丛林中的所有动物几乎都能和平相处。只有人和大象发生过战争。人和丛林中所有动物都互相残杀，制造仇恨。他们就是与同类也互相不和。上帝不知为什么造出了这么一群充满仇恨、残忍和无情的生物。

　　大象了解人类已有几年的历史。它们常常见到黑人，有拿着长矛和弓箭的高大黑人武士，也有矮个子的黑人，还有残暴的阿拉伯人，他们用的多是火枪；白人用的是来复快枪和猎象枪。白人最后出现，但却最为凶恶。不过，大象对人并没有天生的仇恨，就是对白人也是如此。憎恶、妒忌以至于贪婪的心理，大象天生就是没有的。就是低等动物，也只是在到水边喝水时，小心提防一些更凶猛的动物，如狮子的突然袭击罢了。

　　大象也和它的同伴分享着这类小心和谨慎。它们躲避着人，尤其是白人。不过，如果今天能有另外的眼睛注意到它们，借着丛林里暗淡的光线,他们将看到惊奇的景象。这时正有一个人,仰面躺在大象粗糙的背上,随着大象的身体摇摆。他似乎是因为闷热的天气而在小睡。如果不是他晒黑了的皮肤,那么他显然是一个白人。我们的格雷斯托克爵士——泰山,这时正躺在他朋友宽大的背上打瞌睡。一股热风正从北方缓缓吹来,并没有给泰山敏感的鼻孔带来什么异样的气味。丛林里一切都很平静,这一对朋友心满意足,无所顾虑。

哈勃族的法德和莫特洛格在丛林中正向北狩猎。他们从阿拉伯人的大酋长伊本扎得的大帐出发,带着一些黑人奴隶一起前进。他们悄然地走着,追寻着大象的新鲜足迹。两个阿拉伯人满脑子想的是值钱的象牙。和他们一起的卡拉族的黑人头目弗朱安,是一个肤色乌黑光滑的精明猎手,和他率领的黑人奴隶们想的却是拿大象丰盛而美味的肉来饱餐一顿。

弗朱安和他的同伴一样,想着美味的肉食,但他更在心里藏着他的思念,他怀念哈巴希。他孩子时就被阿拉伯人从那里掳走成为了奴隶的。他想着能回到父母孤单的小屋去,看看年迈的双亲。他估计故乡已经离这里不远了。因为几个月来伊本扎得带着他们向南走了很长的路程,后来他们又和这两个阿拉伯人向东走出很远。那么他的哈巴希必定离这里不会太远。一旦他能确定哈巴希就在附近,他就要逃回家去,结束他的奴隶生活。伊本扎得也就毫无疑问地会失去他最好的加拉族黑奴了。

离阿比西尼亚的南部边境向北再有两天的路程,就是弗朱安的家乡。那里坐落着他父母的小屋和他们的村落,这里恰好是伊本扎得路线草图上要经过的地方。一年前,伊本扎得听信了博学的沙哈尔——一个有名的魔法师的煽动，采取了这一冒险的行动。伊本扎得的行动目的是什么弗朱安当然不知道，他父母村落的确切地点他也不十分清楚，只是约略的估计罢了。他现在的愿望暂时还只是美味的肉食。

狩猎者们头上的树叶也都因为酷热而垂了下来。在同样是低垂的树叶下，距离这些猎者一箭之遥的地方，泰山和他的大象朋友也在昏沉的渴睡状态中。他灵敏的嗅觉也被暂时的安全和沉寂弄得迟钝起来。这是热带闷热的中午天气的必然结果。

弗朱安，那个加拉黑人奴隶，突然在他追踪的大象足迹中停了下来，举起一只手，无声地示意后面的伙伴们，他有了新发现。在他正前方，可以模糊地看到在树干和浓密的枝叶之间有一只大象的鼻子在摇摆着。弗朱安立刻示意给走在他旁边的阿拉伯人法德。加拉黑人指给他看那在树缝间露出来的灰色象皮。法德立刻就举起了他的火枪放到肩上，并拿出了古老的火绳点燃了它。只听得轰然一声和一团火焰，接着又是一声大象的尖叫，子弹穿林而过，不知飞到哪里去了。

大象听到爆炸声，跳起来飞跑，泰山也从象背上站了起来，正在这时大象恰从一棵大树的矮树枝下钻过，泰山就被这大树枝扫到地上，失去了知觉。

受到惊吓的大象只想向远处的丛林里逃窜，一路踏倒了许多小树、踢翻了无数的灌木丛。它当然不会知道它的朋友这时正躺在地上，远远地被它抛入一种无助的状态，任凭敌人的处置。

"他妈的！没有打中。"弗朱安失望地叫道。

"啊哈，老天保佑，让我们看看到底打中了什么？也许大象受

泰山被大树枝扫到地上,失去了知觉。

了伤呢！"

"不，子弹打飞了。"

于是两个人探索前进，其他人都紧跟在后面，仔细查看是否留下了有希望的痕迹，特别像红色的血迹等等。法德突然停了下来。

"哇，这是什么？我瞄准的是一头大象，为什么却打死了一个异教徒。"他大声叫着。大家听了都聚拢来。

"这肯定是一个基督狗，而且是一个没穿什么衣服的家伙。"莫特洛格说。

"或者是丛林里其他的野人。"

有人建议说："法德，看看你的子弹打到他什么地方了？"

他们都把泰山围起来，弯下腰去在泰山身上找来找去。"他身上根本找不到任何子弹的痕迹。"有人肯定地说。

"他死了吗？可能是吧！可能是被大象杀死的。"也有人说。

"他没死。"弗朱安把耳朵贴在他的胸口上听了一会儿，宣布说，"他还活着，从他脸上看，我想他只是暂时失去了知觉。他就躺在大象逃走的路上，可能是这畜生逃走时被撞昏了的。"

"让我来结果这家伙。"法德说着抽出了他的短刀。

"看在老天面上，不！收回你的刀子，法德。"莫特洛格阻止说，"让酋长决定他是不是该杀。你不要这样喜欢杀人。"

"可他是个异教徒。"法德坚持说，"那么你还想把他带回酋长的驻地吗？"

"他动了。"法德说，"也许现在他能自己走动了。可是如果他不跟我们回去呢？看看他的块头吧，多么有力气的一个人！"

"把他绑起来。"法德命令说,一面拿出骆驼皮条。他们把泰山的双腕交叉绑在他自己的胸前。他们刚干完了这件事,泰山就睁开眼慢慢地把他们扫视了一圈。他摇了摇他的头,就像一头雄狮醒来时让自己清醒的动作一样。接着他的意识恢复过来,他立刻就认出眼前是两个阿拉伯人。

"为什么把我的手绑起来?"他用他们的语言问,"把这些皮条给我解开。"

法德听了大笑起来:"想得好,异教徒。你不是个大酋长吗?你不是可以命令你的那些奴隶,就像命令狗一样吗?"

"我是泰山。"泰山回答说,"我是酋长的酋长,人们都这样说。"

"泰山!"莫特洛格不由得叫了一声。他把法德拉到一边小声说:"我们遇到麻烦了,得罪这个人可不是件好事。过去的两周我们走过的所有村子,不是都听到过他的名字吗?村民们都威胁说'等着吧!等他来了,我们的丛林之王,他要是知道你们从他的领土上捕捉奴隶,你们就别想活着了'。"

"我拿出刀子的时候,你就不该阻止我。"法德抱怨说,"但现在还不晚。"说着他又把手放到刀把子上。

"不要!"莫特洛格大声说,"这些奴隶现在和我们在一起,但他们中有人会逃跑。你是想让他们把我们杀死这个人的消息带回他的领地去吗?那么我敢说我们将没有一个人能活着回到我们的家乡。"

"那么就把他带回伊本扎得那里去,让他负责这件事好了。"法德无可奈何地说。

"一点不错,你这话说得很聪明。"莫特洛格回答说,"酋长要怎么对付这个人,那是酋长的事,走吧!"

他们又回到泰山跟前,而泰山正瞪着眼睛看着他们。

"你们想对我干什么?"泰山问道,"如果你们是聪明人的话,就该解开这皮条,领我到你们的酋长那里去,我有话对他说。"

"我们只是些无权的人,"莫特洛格说,"我们说话是不算数的。所以我们把你送到酋长那里由他决定怎么办。"

酋长伊本扎得踞坐在大帐里,旁边的客位上坐着他的兄弟托洛格和贝都因青年赞得。青年的注意力无疑并不在酋长和客人的谈话上。和大帐只隔着一条齐胸纱幔的地方坐着酋长的妻女,男青年时不时瞟一眼酋长的女儿阿蒂亚,尽管这里也能时时看到酋长的妻子希儿法,但她对这个青年人来说却丝毫也引不起兴趣。

男人们谈话时,这两个妇女正忙于她们的家务。希儿法往一口铜锅里装要煮的羊肉,准备下顿的饭食。阿蒂亚正从一个袋子里拿出用椰枣汁鞣制的骆驼皮条编制凉鞋。其间,她们很少注意纱帐外的男人们谈什么。

"我们自从离开国土以来,已经走了很长的路,至今一路顺利。"伊本扎得说,"路是绕得远了一点,我不想穿过哈巴希,主要怕会遇到阻挠或遭到这里的人的跟踪。现在我们正转向北方,以便进入哈巴希,从这里直接接近我们要去的地点。这是一位魔法师告诉我的,我们在那里会找到珠宝城尼玛。"

"你认为一旦我们进入哈巴希,就能容易地找到这座珠宝城吗?"酋长的兄弟托洛格问道。

"当然,一点不错。这里人都听说过这个城池。弗朱安就是一个哈巴希人,尽管他从来也没有到过那里,但从他还是一个孩子的时候就听说过这个地方。我们将他们的人抓作俘虏,一定可以从他们嘴里得到更准确的消息。老天保佑我们一定可以做到。"

"上天保佑,我希望这里的珠宝,不要像萨利赫平原上的珠宝一样放在一座岩石上,而由一个巨魔保护着才好。还听说它们被封在一座石塔内,"赞得说,"如果一旦有人启封,就会给世上带来战争,兄弟反目、朋友仇杀。"

"是的!"托洛格跟着害怕地说,"我也听过一个叫哈札木的智者说过。他是一个聪明的穆斯林。他旅行到过那附近,而且从当地一位巫师那里得到了比较准确消息,那里确有珠宝。"

"只是没有人敢去取吧?"赞得说。

"瞎说!"伊本扎得大声说,"尼玛的珠宝根本就没有魔鬼把守,只有哈巴希人的血肉之躯,我们需要的不过是些胆量和勇气罢了。这珠宝是我们的,我们去拿就是了。"

"上天保佑,但愿这里的珠宝能像杰瑞的财富那样容易得到,据说那地方在沙特的北面特布克不远的地方,是一座古代废弃的城堡,每星期五钱币就从地下滚滚而出,流向荒漠,直到太阳下山为止。"赞得煞有介事地说。

"只要我们到了尼玛,找到珠宝是没有什么问题的。"伊本扎得说,"难的是怎样把珠宝和女人带出哈巴希,如果那个女人真像沙哈尔说的那么美丽,尼玛的男人们一定比保护他们的珠宝还要凶猛地保护她。"

"魔法师可是经常没有真话。"托洛格说。

"什么人来了？"伊本扎得忽然注视着大帐前方的丛林大声说。

"哇！那是法德和莫特洛格打猎回来了。"托洛格说，"好像还带着象牙和肉。"

"不过,他们回来得太快了。"赞得说。

"他们没有空手回来。"伊本扎得指着那个和打猎者一块走着的半裸大汉说。

这一群人簇拥着泰山走进酋长的大帐。伊本扎得头上包着一块缠久了的白棉布头巾,头巾绕过来挡住了脸的下半部,只露出两只恶狠狠的眼睛看着来人。泰山扫视了对面的几个人,除了伊本扎得外,他也瞟了一眼满脸麻子的托洛格和其貌不扬的年轻人赞得,然后问道："你们中谁是酋长？"他的声音洪亮而威严,尽管他的双手还被皮带绑住。

伊本扎得把他嘴上的头巾向下拉了拉说："我就是酋长,你叫什么名字,异教徒？"

"他们都叫我人猿泰山,穆斯林。"

"人猿泰山,"伊本扎得沉思一小会儿说,"我听说过这个名字。"

"许多掠夺奴隶的阿拉伯人,的确会听说这个名字。那么,你们到我的国土上来干什么？要知道我是不允许任何人到我的国土上来掠夺奴隶的。"

"我们不是来捉奴隶的,我们只是来进行和平的象牙生意的。"伊本扎得说。

"我知道你是在撒谎,穆斯林。我在外面已经认出来自曼尤玛(喀麦隆属)和加拉的奴隶了。"泰山平静地说道,"而且我知道他们都不是自愿的。我还亲眼看见你的人向一头大象开枪,这是和平的象牙交易吗?不,这是偷猎和掠夺。在人猿泰山的土地上这是决不允许的。"

"老天!我们都是些诚实和高尚的人。"伊本扎得大声说,"法德和托洛格只是弄点肉食罢了。如果他们向大象开枪,那也只是他们向别的小动物开枪错瞄了大象罢了。"

"够了。"泰山大声说,"给我解开这些皮条。回到你们的北方去。你们可以从那里得到护送队和搬运工送你们回苏丹。这些我都可以帮你们安排。"

"我们走了很长的路才来到这里,只是希望进行和平贸易。"伊本扎得坚持说,"我们将对脚夫按价付款,我们也不捕捉奴隶,更不会再错向大象开枪。就让我们走自己的路,等我们回来我们也会照付你过路的费用。"

泰山摇着头,仍然毫不松口:"不,你们得立刻就回去。来,把我手上的捆绑松开。"

伊本扎得听了很生气,眯细了眼睛看着泰山说:"我们向你提供和平和利益,异教徒。但是如果你一定要战争那就只好奉陪了。不过请记住你在我们的掌握之中,即使是敌人也不一定非要势不两立。"然后他又转头对法德说,"把他带走,把他的脚也捆上。"

"请你小心点,穆斯林!"泰山警告说,"泰山的军队可是很多的,他们都勇敢善战,就是死了他们也会伸出手来掐断敌人的脖子。"

"你有时间在天黑以前作出决定。不过,我告诉你,伊本扎得做事决不会半途而废,直到达到来这里的目的为止。"

阿拉伯人把泰山带走了。到了一座小帐篷,把他推了进去。进了小帐篷,三四个人把泰山弄翻在地,把他的脚和腿也捆了起来。

在酋长的大帐中,贝都因人小口地喝着他们的咖啡,这种饮料散发着令人不适的浓浓的丁香、桂皮和其他香料的气味。他们正讨论着此行的前途是否顺利。伊本扎得清楚只有速战速决和环境配合才能成功。

"要不是因为莫托洛格阻挡,"法德说,"我们就没有理由为这个异教徒心烦,因为我早就把他一刀宰了。"

"如果他被杀死的消息传出去,第二天他的人民就会紧追上我们。"莫托洛格辩解说。

"当然!我但愿法德干了他想干的事。不过,要是我们让这个异教徒活着又有什么好处?要是我们把他放了,我们知道他会带上他的人把我们赶出他的国土。要是我们把他囚禁起来,而且有奴隶逃跑,把消息带给他的人民,他们一样要攻击我们,和我们把他杀了不一样吗?"

"托洛格,你的话很在理。"伊本扎得赞许地点着头说。

"可是等一下,我还有更重要的话,"托洛格示意他周围的几个人走近些,放低声音说,"要是那个叫作泰山的人今晚逃跑了,或者我们把他放了,那么不就没有什么坏消息带给他的人民了吗?"

"说什么哪?!"法德轻蔑地说,"那就用不着有一个逃跑的奴隶带话给他的人,他自己就会带着人来把我们赶跑。呸!托洛格的脑子就跟骆驼粪一样。"

"你还没有听完我的话哪!你先别下结论,我的兄弟。"托洛格不理法德继续说道,"我们就装着对奴隶们说那个人今天晚上已经逃跑了,因为到明天早上这个人已经不见了。而且我们要装得对这件事很失望或悲伤的样子,我们或许可以说:老天,伊本扎得跟这个外来人已经和平共处了,他自己非要到丛林里去,但愿他能有好运平安到家。"

"我还不懂你的意思。"伊本扎得说。

"那个人已经捆绑在前面的小草屋里,今天夜里天又黑,一把短刀插进他的肋条里就足够了。我们几个人都是可以互相信任的哈巴希人不是吗?那么谁都要听您的命令,而且事后也不会泄露秘密。他们可以准备一条沟,深到那个泰山躺在里面再也不会对我们造成任何伤害就行了。"

"我的老天!你不愧为具有酋长血统的人,托洛格!"伊本扎得高兴得轻声地叫了起来,"你能想出这样聪明的办法就是证明。这件事就由你来办,一定要做得既秘密又周到。老天保佑你们!"说完,伊本扎得走进了他的后宫。

二
野性的盟友

黑暗降临到伊本扎得酋长的营地。泰山在阿拉伯人小小的帐篷里仍然和捆绑着他双手的那些皮条挣扎不已。但是这些骆驼皮条却相当结实,连泰山这样的力气也无法使它松动多少。他躺在那里,时不时听到各种丛林夜幕下的喧闹声。它们对于其他人的听觉十分陌生,但泰山却非常了解。他可以准确地分辨出它们的每一个细节。他知道何时雄狮走过,何时又是猎豹在附近徘徊。在常人听来的一阵轻风,泰山却能分辨出这是一头公象在践踏一片片草丛。

大帐的外面,伊本扎得的女儿阿蒂亚正和赞得在黑影中漫步。他们站得很近,赞得紧紧地拉住阿蒂亚的手说:"告诉我阿蒂亚,你是爱我的。"

"你还要我对你说多少遍这句话?"女孩低声说。

"你不爱法德是吗?"男人坚持问道。

"真是讨厌,不,当然不。"女孩不耐烦地说。

"可是你父亲给人的印象是他好像要把你嫁给法德。"

"尽管我父亲有这个意思,但是我决不会嫁给一个我既不爱又不相信的人。"

"我也觉得法德这个人不可信。"赞得同意说,"不过,听着阿蒂亚,我很怀疑他对你父亲的忠诚。这不光是指他一个人,还有另外的人,我不想说出他的名字。我偶然遇见他们在一块儿低声私语。当时,他们以为周围没有旁人呢!"

女孩听了点头说:"我知道。你不用说出来我也知道他是谁。我讨厌他也像讨厌法德一样!"

"可是他是你们家族里的人哪!"男子仍然提醒她说。

"那有什么,他不就是我父亲的兄弟吗?如果这层关系都不能使他对我父亲忠诚,谁还对他好?我认为他是个叛徒,只是父亲似乎还看不出来。我们离开自己的国土已经很远了。如果酋长发生了什么事,那么托洛格是近亲,他最可能取代酋长的地位。我猜想他拿我的婚姻做交易已经得到了法德的支持。因为现在托洛格拼命在我父亲耳边吹风,夸奖法德如何如何好。"

"或许将来在珍宝城会出现财富的争夺。"赞得提醒说。

"不是没这种可能!"女孩子回答说,"可是——老天这是什么?"当她听到一种声音时,这样惊呼道。

坐在火前烧咖啡的贝都因人都不由得从座位上跳了起来,黑奴们也吓得从简陋的隐蔽处向暗中窥视。有火枪的都抓起了火枪,紧张地侧耳倾听几乎是大帐里外人们的一切行动。但是,那个怪异而可怕的呼叫声却再没有出现。

"老天!这声音来自我们营地中间,但它却是一种野兽的声音。"伊本扎得惊慌地说,"我们这里只不过有一些少量的家畜。"

"会不会是……"说话的人不由得停下来,好像如果他一说出来,这声音就真的是那个可怕的东西了。

"但是绑在那里的人，不过是个人，可是这声音却是一个野兽的声音。"伊本扎得坚持说。

"但他是一个异教徒。"法德提醒说，"或许他和魔鬼有什么关系。"

"可这声音好像就是从绑着他的那个小帐篷里发出来的。"另一个人插嘴说。

"走，让我们去看看。"伊本扎得决定。于是阿拉伯人拿着火枪，提着纸灯笼向泰山所在的小帐篷走去。那走在最前面的，胆怯地向里看了一下报告说："他在这儿。"

这时泰山正坐在小帐篷的中间。看见几个阿拉伯人进来，他带点轻蔑地观察着他们。这时，伊本扎得走到前面问道："你听到一声喊叫了吗？"

"是的，我听到了。我说，伊本扎得酋长，你们就是拿这么点事来打扰我休息呢，还是来给我松绑的呢？"

"这是一种什么叫声？它代表什么？"伊本扎得问道。

人猿泰山狡黠地一笑说："那是一种野兽呼叫它同伴的声音。难道高贵的贝都因人听到这种丛林子民的声音是会发抖的吗？"

"胡扯！"伊本扎得粗暴地说，"贝都因人什么都不怕，我们以为这声音是从这个小帐篷里发出来的，所以我们赶快跑来，以为是什么野兽爬进了营地来袭击你。伊本扎得认为明天可以放了你。"

"那为什么不是今天晚上？"

"我的人都害怕你，他们希望放开你之后，你就马上会走开。"

"我会的,我一点儿也不想留在你这到处都是潮虫的营地里。"泰山又一次露出他那种诡秘的微笑,"人猿泰山在他自己驯顺的丛林里会比在贝都因人的沙漠里更安全。丛林的夜晚对泰山来说一点儿也不可怕。"

"明天!"酋长斩钉截铁地说。然后就和他的随从们一起走了。

泰山看着他们的纸灯笼摇晃着穿过营地,进了酋长的大帐,然后他伸开身体,把一只耳朵紧贴到地面上。

当阿拉伯营地的居民们听到冲破夜晚平静的叫声时,一种模糊的冲动在他们体内一直无法平息。但另一方面他们又弄不清它是什么。这时,在远处的丛林中,一头巨大的野兽听到了叫声,明白了它的意思。这是一头丛林里重量级的野兽,大家伙——吞特(猿语,大象)。它举起喇叭一样的长鼻子大声地吹起来,小眼睛闪着红光,它摇摆着大步穿过丛林。

慢慢的,宁静笼罩了酋长伊本扎得的营地。阿拉伯人和他们的黑人奴隶们也都向他们的睡席摸去。只有酋长和他的兄弟在座毯上,一边吸烟一边小声谈论着。

"托洛格,别让奴隶们看到你杀死那个异教徒。"伊本扎得警告说,"你亲自干这事,不要闹出大动静。完事之后可以悄悄叫起两个奴隶去看,弗朱安最好,他从小就跟着我们,很忠诚。另一个也要像他一样好才行。"

"阿巴斯也很忠诚,而且强壮有力。"托洛格建议说。

"好的,算他一个。"伊本扎得同意说,"但是不要让他们知道异教徒是怎么死的。只告诉他们你听到小帐篷那个方向有一阵闹声,当你过去想看个究竟时,发现他已经死了。"

"你要听我的指示,兄弟。"托洛格自信地说,"而且要警告他们保守秘密。"

酋长继续说:"只有我们四个人知道异教徒的死亡和埋葬的地方。到了早上我们可以告诉别人,他在夜里逃跑了。留下他弄断的皮条作证明,你明白了吗?"

"看在神的面上,足够了。"

"好!那么现在就去,人们都睡了。"

酋长站了起来,走进他的后宫。托洛格也跟着站起来,悄然无声地穿过夜幕的黑暗,朝着受害者的小帐篷走去。此时,穿过丛林,大象正向这里快步走来,不仅小动物,就是大动物也都给它让路,甚至努玛(猿语,雄狮)也咆哮着躲到一边去。

酋长的兄弟托洛格爬进小帐篷的黑暗中。泰山躺着正用一只耳朵贴着地面。它已经听到有人向近处走来的声音,甚至当托洛格离开伊本扎得的大帐时就已经听到了。泰山一面听着大象的脚步,一面琢磨着托洛格为什么也要悄悄地走来。他相信托洛格没安好心,一个贝都因人,三更半夜还能来干什么呢?

黑暗中托洛格摸索着走近泰山的帐篷,泰山已经坐了起来。就在这时一声可怕的叫声冲进贝都因人的耳朵。这叫声傍晚时也曾惊扰过他们的营地,而这一回它就在这座帐篷里响起,甚至就响在托洛格身边。贝都因人吓得呆立当场。"天神啊!"他叫道,向后退了几步,"这里有什么野兽?异教徒!你受到攻击了吗?"

营地里的其他人也有被惊醒了的,但是没有人敢起来查看一下。泰山微笑着却依然保持着沉默。

"异教徒！"托洛格又叫了一声，但这儿仍然没人回答。

贝都因人把刀子准备在手里又回到小帐篷。他听了一小会儿，什么声音也听不到。他很快地跑回自己的帐篷，点着了一只纸灯笼，很快又回到小帐篷，而且带上了火枪。他把灯笼举得高高的，向里面探视。托洛格看到人猿泰山端坐在地上看着他。这里并没有别的野兽，这时贝都因人有点明白了。

"见鬼！原来是你，异教徒，是你弄出来这么可怕的叫声？"

"贝都因人！你是来杀异教徒的吧？"泰山问道。

丛林里传来狮子的吼声和公象喇叭一样的回应。这里高耸着削尖的栅栏，并且装了荆棘，还有守卫者和篝火，所以托洛格对夜晚的这些吵闹声并不在意。他并不回答泰山的问话，只是把火枪放到一边，拔出了弯刀，这点已经足够回答泰山的问题了。

在暗淡的纸灯笼的光亮下，泰山看着贝都因人的这些准备工作。他看到贝都因人恶毒的脸上那凶狠的表情，他看到这个人手里拿着刀正向他走来。

托洛格走到泰山跟前，眼睛里闪着凶狠的光芒。这时在营地较远的一边响起了一阵巨大的骚动，夹杂着阿拉伯人高声的诅咒。这一刻托洛格挺刀刺向泰山的胸膛，泰山用绑着的手直劈贝都因人拿刀的胳膊，挡过了这一击的同时挣扎着跪了起来。

托洛格骂了一声，又一次刺向泰山，泰山闪开，迅速给了托洛格头上狠狠一击，把他打得跟跟跄跄地跌到帐篷的一边。托洛格很快控制了自己。他像一头狂怒而又狡猾的公牛一样，迅速跳到泰山背后向他发难。

泰山急忙转身，但因为双膝跪地，回转不及，失去了平衡，不由自主地扑倒在托洛格面前。一个邪恶的微笑使贝都因人露出了他发黄的牙齿。

"去死吧！异教徒！"他喊道，"哎呀！这是什么？"忽然间整个帐篷被从上掀起，猛地投向黑暗中去。托洛格迅速转过身来，突然发出一声恐怖的尖叫。一个巨大的身躯高塔一样矗立在他上方，一双红色的眼睛，愤怒地望着他。就在这一刻，一根柔韧的象鼻子卷起他的身体，高高举起，猛地像扔帐篷那样也把他扔到黑暗中去了。

有好一会儿，大象站在那里生气地看着周围。最后，它伸出鼻子把泰山从地上卷起来举过头顶放到背上，转身大踏步地穿过营地向丛林走去。在营地的哨岗，一个吓坏了的哨兵放了一枪就跑了，另一个哨兵躺在那里被踏得惨不忍睹。不一会儿，泰山和大象就被丛林的黑暗吞没得无影无踪了。

酋长的营地里这时才翻腾起来。拿着武器的人们跑来跑去，搜寻引起惊乱的原因，寻找可攻击的敌人。也有些人来到囚禁异教徒的小帐篷的地方，但是小帐篷和异教徒都没有了，剩下被踩扁的哨兵。四处是哭泣的妇女和骂骂咧咧的男人。在帐篷顶上躺着伊本扎得的兄弟托洛格。他满嘴都是贝都因人恶毒的脏话，然而他却最应该感谢天神，因为托洛格确实是最幸运的人，大象粗鲁地把它卷起来扔出去后，如果他不是落在一架栓钉牢固的帐篷顶上，那他不摔死，也要缺胳膊少腿。

托洛格刚刚挣扎着从帐篷顶上爬下来，伊本扎得正听着奴仆们的汇报，一个奴仆跑来说："异教徒确实是跑了，好像小帐篷也被带走了。"

一根柔韧的象鼻子卷起他的身体,高高举起。

伊本扎得转向托洛格问道："兄弟，异教徒真的跑了吗？"

"异教徒确实是跑了。"托洛格回答说，"他是和魔鬼结了伴，魔鬼变成大象，把他带到丛林里去了。它还把我扔到阿齐兹的帐篷顶上去。这会儿我还能听到阿齐兹的尖叫和咒骂声，好像他受的伤比我还重。"

伊本扎得摇摇头，他当然知道，托洛格从来就是个说谎能手，只是他弄不明白他的这个兄弟怎么会跑到阿齐兹帐篷的顶上去的。

"那么哨兵们又看见了什么？"酋长问道，"他们那时在哪儿？"

"他们都在岗位上。"莫特洛格说，"我那时正好在那儿。他们中有一个已经死了，另一个一面跪着，一面向闯进来的那个东西放了一枪。"

"那么他又说了什么？"伊本扎得问道。

"啊！他说大象闯进了营地，杀死了那个卫兵，冲到小帐篷里异教徒被绑的地方，把他放到一边。然后把托洛格扔到半空里，它就带着那个囚犯，窜到丛林里去了。当他经过的时候，哈森还朝他放了一枪。"

"然后消失得无影无踪。"伊本扎得猜测着说。

酋长站在那里思考着有好一会儿，然后转身慢慢地向他自己的大帐走去。

"明天，一大早，太阳出来之前就走。"他说。他的话很快传遍了营地，他们明天太阳出来之前就拔寨起行。

大象驮着泰山,进入丛林很远很远,直到来到一处不大的空旷地,这里绿草如茵。大象用鼻子把捆住手脚的泰山轻轻地从背上放到地上。

"到了早晨,"泰山说,"当太阳又升上天空的时候,这里光亮得能看得见了,我们会想法把这些绑着我的东西扔掉,但是吞特,现在我们只好睡觉。"

夜晚,狮子、鬣狗和猎豹都从附近走过。它们都闻到了那个无助的人的强烈气味。但是当它们看到站在熟睡着的泰山旁边呼隆隆喘气的大公象时,只好悻悻地离开。

随着黎明的到来,伊本扎得的营地里也很快骚动起来。简陋的早餐一吃罢,酋长大帐就被他的妇女们拆倒了。这好像是一个信号,跟着其他的粗毛帐篷也都被拉倒到地上。不到一个小时,阿拉伯人的队伍就向北方的哈巴希走去。

贝都因人和他们的妇女都骑上沙漠驮马。这些畜生是他们从北方到这里经过漫长的旅途仅剩的坐骑。与他们同行的奴隶一直赤脚,在一队配有火枪的士兵前面走着。他们的脚夫都是一些土人,一直被强迫着跟随队伍为主人们服务。他们携带着宿营的装备、行李,赶着跟随队伍的山羊和绵羊牧群。

赞得骑马走在酋长女儿阿蒂亚的旁边,目光时不时地落在姑娘的身上。法德却骑马走在伊本扎得的旁边,有时带着生气的目光瞟一眼这对男女。这一切都被酋长的兄弟托洛格看在眼里。

"赞得是一个勇敢的追求者,他比你可大胆多了,法德。"他小声地对这个年轻人说。

"他老是小声向她耳朵里灌输甜言蜜语,我可不这么干。"法德抱怨说。

"要是酋长同意你的求婚就好了。"托洛格提醒说。

"他可不会!"法德断然地说道,"你要是能说句话也许有用,你答应过的。"

"哦,是的!只是我哥哥是个过分溺爱女儿的人。"托洛格继续说,"他不大喜欢你,法德。相反,他宁愿让他的爱女高兴,所以就只好让女儿自己去选择她的伴侣了。"

"那么还能怎么办?"法德问道。

"现在,如果我是酋长……"托洛格提示说,"可是遗憾的是我不是。"

"假如你是酋长,那怎么样?"

"我的侄女就要嫁给我选择的男人。"

"但是你不是酋长。"这一次是法德提醒他说。

托洛格靠上来,然后伏在法德的耳边说:"像赞得那样勇敢的追求者一定会找到让我当酋长的办法。"

法德再没有说什么,只是在马上沉默着,他低着头,双眉紧锁着陷入了沉思。

三
托亚特的大猿们

三天慢慢地过去了。太阳从东到西在热气蒸腾的丛林上空爬过。三天来阿拉伯人缓慢地向哈巴希前进。这三天,人猿泰山仍然躺在小开阔地上无所作为。捆绑泰山手脚皮条的扣结都从泰山背面系牢,泰山对它们一筹莫展。这期间大象一直在他周围守护着他,每天都给他带来食物和水。尽管如此,大象对那小小的皮带结也是无能为力。

骆驼皮条看起来非常结实,如果没有强大的外力,很难把泰山从困境中解救出来。他招呼过猴子来帮他咬断那个结扣,但是这些小猴子从来就没有恒心,也不负责任,它们虽然答应得好好的,但是一遇到困难就走开了。泰山只好躺在那里,无可奈何地像一头野兽一样等待着他的机会。

到了第四天早上,大象明显地表现出不安。它短短几天的给养连同附近可吃的东西都已消耗尽了。连它朋友泰山的食物在这四周也找不到了。它想带着朋友移到别处去,但泰山认为如果他去了大象的家园,获得解放的机会只会更少。这个丛林里只有大猿才能平安地给他解去身上的捆绑。泰山知道眼前这块小开阔地距大猿活动的地区不会太远。如果一群大猿路过这里,说不

大象对小小的皮带结无能为力，泰山只好躺在那里。

定就能帮他。

大象真的不得不走了。它用鼻子把泰山拱翻,把他从地上卷了起来。"把我放下来,吞特!把我放下来!"泰山高声对他朋友说。大象听话地把他放了下来,无奈地转身离去。泰山看着它慢慢地向丛林走去。走到边上,它又站定,转身向着它的朋友发出喇叭似的叫声,又用它的大牙掘起土,向泰山扔去,显出愠怒的样子。

"走吧!找东西吃去!"泰山大声喊着说,"然后就回去吧!说不定明天大猿就会过来。"

大象听了又叫了两声,似乎是明白了泰山的意思,转身消失在丛林里了。泰山有好一阵躺在那里,静听着朋友远去的沉重脚步。

早上过去了,中午悄然来到丛林。只有飞虫在泰山周围嗡嗡地骚扰着,就像它们骚扰其他丛林动物一样。不过,泰山对它们的毒刺却是终身免疫的。

忽然树林里传来一阵动物在树上穿行的声音。猴群,公的、母的、老的、小的发狂地从树枝上纵跳而来,一边跳一边吱吱喳喳地叫个不停。

"猴子们!"泰山对它们喊道,"来了什么东西?"

"大猿!大猿!"猴子尖叫着。

"叫它们过来,猴子们!"泰山命令说。

"怕!怕!"

"去!从高处的树枝上叫它们去!"泰山催促着说,"大猿们到不了那么高的地方。告诉它们有一个它们的伙伴躺在这里,让它们来把我放开。它们会拿你们当朋友的。"

"是的,它们不会爬到高处来,我去吧!"一个老猴子说。

其他的猴子们都停了下来,转身看着灰胡子老猴从高树枝上向丛林深处跳去。

现在泰山终于听见,他熟悉的沙哑的带着喉音的大猿的声音了。他希望它们之中有认识他的。不过也许这是一群来自远方的大猿,他暂时没法肯定。他现在只好躺在那里听着、等待着。他听见猴子们在高处的树枝上吱吱喳喳地叫个不停。它们的声音越来越大,好像是随着猿群行进的方向朝这里走来。突然之间,一切都静下来,泰山只听见周围小虫的嗡嗡声。

泰山躺在地上向大猿走来的方向看去。他想从浓密得像一面墙一样的灌木丛中搜寻他的目标。他相信现在会有一双双敏锐的眼睛正注视着他,观察着空地,担心会不会有什么敌人,狡猾地搜寻着有什么陷阱。他也知道当它们第一眼看见他时也许会引起怀疑、恐惧和愤怒。因为这些陌生的大猿,显然没有什么理由去信任一个凶残无情的塔曼戈(猿语,白猿,指白人)。

泰山在这样的情况下,确实有很大的危机。如果这些大猿不声不响地溜走,那可就完蛋了。因为这里再没有别的生物能解开他的捆绑。他大声用猿语喊道:"我是一个朋友!那些塔曼戈抓住了我,绑住了我的手脚,让我动不了。我不能保护我自己,既弄不到水,也弄不到食物。过来给我松开捆绑。"

这时从灌木丛浓密的枝叶后面,有一个声音回答说:"你是一个塔曼戈。"

"我是人猿泰山。"人猿泰山回答说。

"是的，"小猴子们也吱吱喳喳地证实说，"他是人猿泰山，一些塔曼戈和戈曼更（猿语，黑人）捆住了他，吞特把他带到这里。库图（猿语，老鹰）在他上空猎食都有四次了。"

"我知道泰山。"这时一个声音从树丛中说道，接着树丛一分，一个巨大的毛茸茸的大猿走到开阔地上。它两手撑地，身体一荡一荡地朝泰山走了过来。

"玛瓦拉！"泰山认出了它来，高兴地叫道。

"他是人猿泰山，我认出来了。"这个大猿说，但是别的大猿并不明白这是怎么回事。

"什么？"有几个大猿吃惊地问道。

"你们是谁的猿群？"泰山问道。

"托亚特是猿王。"玛瓦拉回答说。

"你快点过来，悄悄把绑我的皮条咬开，托亚特不喜欢我，在我没抵抗力时是非常危险的。"

"好！"玛瓦拉同意。

"这儿，"泰山抬起了他被绑着的双手说，"把这里的皮条咬断。"

"你曾是玛瓦拉的朋友，玛瓦拉会照泰山的话做。"大猿玛瓦拉说。

当然，在贫乏的猿语中，上面的这些对话并不像人类之间那么清楚流畅，在我们听来只是一些咕噜的喉音和表意手势，就像远古时代的人猿之间传递的信息一样。

这个猿族别的大猿陆续来到空地上，看到玛瓦拉不但没有受任何伤害，还弯下身去把大白猿手上的皮条咬开了，接着等泰山转过身去,玛瓦拉又把他脚上的皮条也咬开了。

当泰山站稳之后,大猿族几乎都进到这一小片空地上来了。带头的就是托亚特猿王,紧紧跟着它的是八个长得高大强壮的公猿和六七个母猿,也有一些小猿。那些母猿和小猿都停住观望,公猿们朝泰山和玛瓦拉走来。

猿王威胁地叫着:"塔曼戈!"它向空中跳起来,转了一圈,然后四肢着地,一面用拳头捶着地面,一面咆哮着,满嘴的白沫。托亚特一次次地跳起来,给自己打气,以便作好攻击的准备,而且也是为了唤起伙伴们发起攻击的情绪。

"这是人猿泰山,大猿的朋友。"玛瓦拉说。

"他是一个塔曼戈,是大猿的敌人!"托亚特叫道,"他们带着一支能发出电光的棍子,会杀死我们的。他们会使我们的小巴鲁在雷一样的声音中死去。杀死他!"

"对,他是人猿泰山,"盖亚这时也站出来证实道,"我还是一个小巴鲁的时候他从狮子口中救过我,我想起了,人猿泰山是大猿的朋友。"

"杀了这个塔曼戈!"托亚特一蹿老高地跳起来尖叫着。有几个公猿也学着托亚特的样子在泰山的四周乱跳。但是泰山太了解它们了。他知道这些大猿中的某一个会在发狂的时候对他突然发起攻击。玛瓦拉和托亚特也可能为了他的缘故打起来。其他大猿也可能参加进来,然后大家混战一场,这就免不了死伤,而泰山是决不愿意看到他的朋友为他而互相厮杀的。

"停下来!"他高高举起伸开的手掌以引起注意,"我是人猿泰山,最有力气的猎手。我曾长期和喀却克族生活在一起;后来又成为了它们的王。你们中间好多人都认识我。大家都知道我首先是一个人猿,所以我对所有大猿都是友好的。托亚特要杀我并不是因为我是一个塔曼戈,而是因为恨泰山差一点儿没让它当上王。那是很多个雨季以前的事了。那时你们许多还是小巴鲁。要是这些年它一直是个好王,泰山就高兴。但现在它不像是个好王,因为它要你们和朋友作对。"

"你,祖茨!"泰山突然大叫了一声,指着一个大公猿说,"你又跳,又叫,满嘴吐白沫,又要把你的獠牙咬进我的肉里。可是你忘了吗?你过去病了的时候,族里的大猿都看着你死,是谁给你弄吃的弄水喝?你忘了那个时候是谁,保护了你,使你不被努玛、希塔(猿语,猎豹)们所伤害?你忘记了那些丹戈(猿语,鬣狗)在你周围号叫的夜晚又是谁保护了你?"

他的声音颇具威慑力。以至于那个大猿竟慢慢安静下来听着他的话,就连小猴子也都不再乱跳。有的大猿听到中途,已经对泰山消除了敌意,竟转身走开了。祖茨先是皱起了眉头,不习惯地回想着,最后终于咕噜道:"祖茨想起了,你是人猿泰山,你是朋友。"于是也和玛瓦拉站到一边。这样一来,许多大猿也都失去继续和泰山为敌的兴趣,除了托亚特以外,它们要么走开觅食,要么蹲在附近草地上准备看热闹。

托亚特仍然在发威,但是当它看着自己已经被许多大猿所抛弃,它的战斗舞蹈也只好保持在一个离泰山和它的同伴稍远的安全距离之外了。不过没过多久,它也对战斗不再感兴趣了,也去搜寻美味的甲虫去了。

就这样泰山又进入到大猿的族群中。而当他和这些毛茸茸的野兽在丛林里懒散地穿行时，他不由得想起了他的养母——卡拉，一个伟大的母猿，也是他知道的唯一的母亲。他怀着激情地想起，它在充满危险的丛林里如何保护他免遭天敌们的袭击，对抗丈夫图布拉对泰山的妒忌和憎恨，还有它们族中的猿王——可怕的老公猿喀却克的敌意。

当泰山想起喀却克的时候，就好像昨天的事一样，他眼前映现着它那凶猛的特点。多么巨大的一头野兽！在当时泰山还是孩子的头脑里，喀却克无疑是野蛮、威风的象征。尽管后来喀却克还是被他打倒并杀死。但即使今天他想起喀却克，也多少带点恐惧，当时的自己居然能把它打倒，现在想起来也觉得不可思议。

他还想起和特尔克的战斗。这个大公猿也败在他手下。还有和勃勒冈尼——大猩猩的恶斗，那回他头一次使用他从海边小屋得来的战刀。当然，他也记起了娣卡——他曾爱过的伙伴，一个母猿。也想起了和他一起的另外的大猿朋友：桑卡和塔纳。另外也有他曾热心收养，而最终没有成功的小黑孩蒂勃。在他熟悉的这座丛林，他记起了他的童年。他就这样在回忆中度过了一个个闷热的林子里的懒洋洋的白天。可是这时伊本扎得和他的队伍也正慢慢向北方的尼玛城移动。在丛林的另一边正在发生的事，将把泰山卷进另一桩巨大的冒险事件中去。

四
黑猩猩

丛林里,一个黑人挑夫在经过长满藤蔓缠绕的草丛时被绊了一跤,他背的东西摔到了地上。这件小事导致了一些危机,它改变了詹姆斯·亨特·布莱克的整个生活。

布莱克是一位年轻的美国富豪,第一次到非洲来进行大动物的狩猎。他和威尔伯·斯廷保是朋友。斯廷保两年前在非洲丛林里度过了三周,所以他自然成为了这支探险队的领队。在有关非洲丛林、游猎、食物给养、天气和土著等诸多方面,他无疑成了一位无可质疑的权威。更进一步的事实是斯廷保年长于布莱克这位年轻人二十五岁,这也无形中给人们增加了他见多识广的印象。

这些因素本身并不构成这两个男人之间的分歧。布莱克多少是一个有些懒散的青年,他一开始对斯廷保的自负还有些欣赏。他们最初的分歧从军需站开始,按原计划,探险队除了补充食物和为斯廷保增加六七只纪念品以外,就没有猎杀动物的任务了。但由于斯廷保的专断独行和坏脾气,使探险队的计划从非洲野生动物的科学摄影变成了完全的大动物狩猎。

在军需站,他们为探险队准备给养和装备,斯廷保却扔下众人去了海边,这深深地伤害了布莱克的自尊,不过他决定无论如何也要用照相机拍点儿什么——他不是一个喜欢捕杀动物的人。

关于对待黑人脚夫的问题,他们两人之间也有过几次争吵。不过这些事情都已经过去,至少布莱克是这么希望的。斯廷保也保证今后不再虐待黑人脚夫,并把管理整个队伍的事完全留给布莱克去处理。

他们已经进入内陆,甚至比原来计划的还要远。要不是因为运气不佳,没有猎到什么东西,他们早该回到铁路终点了。目前为止,他们在前进中还算没有遇到什么困难,这样看来,他和斯廷保将会友好相处直到他们回到美国。无论从哪方面说,他们还算是朋友。但是就在这时,一个黑人挑夫被地上的蔓草绊了一跤,把他背的东西抛出老远。

正好走在这个挑夫前面的是斯廷保,而布莱克正好和斯廷保并肩前进。不知是什么鬼使神差,挑夫背上的东西正好向斯廷保身上砸去,把他也跌了个前趴。挑夫和斯廷保滚在一起,两人随后才挣扎着爬了起来,这引起了挑夫们的一阵哄笑,斯廷保不由得暴跳如雷。

"你这头笨猪。"斯廷保大喝一声。而且就在布莱克还来不及介入之前,暴怒的白人一脚跨过散落在地上的物品,走到那个黑人挑夫面前,照着他的脸狠命地给了一下,把他打翻在地,接着又向他身上狠踢了一脚。还没有来得及继续,布莱克已经抢过来,拉住他的肩膀,就像他打那黑人脚夫一样给了他一拳。

斯廷保也跌坐在地,伸手摸到了屁股后挂着的手枪柄。但是斯廷保快,布莱克比他更快。"住手!"布莱克敏捷地拔出了他的点四五手枪,指着斯廷保说:"站起来!"他命令道。斯廷保站起来以后,布莱克冷冰冰地说:"现在听我说,斯廷保,这是一个了断,我跟你算完了。明天早上我们就公平地分了全部装备,你带着你的一半,我带我的一半。"

布莱克说着话,已把枪放回了枪套。那个挨打的黑人也已爬了起来,正在堵着他淌血的鼻子。别的黑人都显出一副阴沉的样子。接着布莱克示意别的挑夫帮那个挨打的挑夫收拾起他的行李,于是探险队又继续前进了。不过现在的探险队再不是一个带着歌声和笑语的队伍,大家都变得闷闷不乐起来。

时间刚刚过午,布莱克就下令找一块合适的地方扎营,为的是及早瓜分装备、食物和人手,以便明天一早两支队伍就可以分道扬镳。

斯廷保满脸的不高兴,似乎也没什么人愿意帮他的忙。只好带了两个给探险队当保卫的土著士兵外出打猎去了。他们沿着一条松土覆盖的小路悄无声息地还没走出一公里,一个走在前面的士兵忽然举起了一只手,示意后面的人停下来。斯廷保小心地走上前去。当他走到那个土兵的跟前,那士兵指指左前方。透过浓密的树叶间隙,斯廷保看见一团黑茸茸的东西,正躲开他们向远处窜去。

"那是什么?"斯廷保小声问道。

"黑猩猩。"黑人回答说。

斯廷保举起他的来复枪朝它开了一枪。黑人马上就看出他根本就没有打中。

"咳!"斯廷保却高兴地喊道,"快点,追上它,多好的一个标本,老天!"

这里的丛林似乎越来越开阔,他们在视野看得见的范围里紧追不舍那个逃跑的黑猩猩。但是斯廷保放了好几枪,枪枪都落了空。两个黑人不由得暗笑起来。他们可没有斯廷保那么自信。

在不太远处,人猿泰山正和托亚特族的大猿们在捕猎。那边枪声一响,他就听见了。他立刻从树上向那里荡去。他很准确地判断出这枪声不是贝都因人的火枪,而是发自一种更现代的武器,这更可能是一个白人持有的。在泰山的领地内,他有权去弄清进来的是什么人,为什么要闯进来。这些人最早从没来过这里,但是他们后来一度蜂拥而至。泰山对那段日子很后悔,因为他们一来就破坏了这里的和平和正常的秩序。

在树上奔跑,从一个树枝荡到另一个树枝上,人猿泰山精确地追随着那枪声的方向。当他越是走近黑猩猩逃跑的现场,他越能清楚地听到树枝被撞断的声音,灌木丛被庞大身躯踏倒的声音以及人的呼喊声。

黑猩猩慌不择路地奔跑着。它的思想完全被如何逃离可恶的白人和可怕的雷电声所占据着,根本顾不得他的前面是否还会有别的敌手。就在它前面不远处的一棵大树上,正有一条大蟒蛇蜿蜒地盘绕着。

这条大家伙正因奔跑声、枪声和人声的骚扰而变得躁怒起来。通常情况下它会放过这头咆哮着的公猩猩。但是现在它甚至会对一头大象发起攻击。它的小眼睛正露出凶光,死盯着跑来的黑茸茸的勃勒冈尼。正当黑猩猩跑过它盘绕的大树枝下面时,它突然扑下来缠住了它的猎物。

当这个有力的、残酷的、无声的大家伙缠住它的对手时,黑猩猩也拼命用力撕扯它。黑猩猩力气很大,但蟒蛇的力量更强。它嘴里发出了一声几乎像人一样的凄惨的叫声,显然已经意识到降临到它身上的灾难。它跌倒在地上,奋力去摆脱缠住它身体的一道道肉箍。而这时它的敌人努力收缩身体,要把猩猩的生命从躯壳里挤出去,甚至连骨头也会被挤碎,直到最后那躯体会变成香肠一样被吞进蟒蛇的肚子里去。

泰山和斯廷保几乎同时到达。斯廷保艰难地拨开矮灌木丛疾走而来,而被土人叫作丛林之神的泰山却是敏捷地穿过丛林的树枝摇荡而来。尽管他们同时到达,但因为泰山来去无声的习惯,斯廷保浑然不觉他的存在。

泰山来到这里后,一眼就看出来黑猩猩悲惨的处境。同时,他也看到斯廷保正举起他的来复枪,企图一箭双雕地打倒这两个庞大的珍稀标本。

对于黑猩猩,泰山心里没有什么特殊的好感。从小,这个毛茸茸的野兽就是泰山的仇敌。他的第一次生死之战就是和猩猩进行的。尽管那次他是胜利者,但以后好多年他都有点畏惧它,总躲着它,就是大猿们也都与它保持着一种互不侵犯的关系。

不过今天当他看到黑猩猩面临着白人和蟒蛇的双重危机时,泰山心里不由得燃起了对黑猩猩的同情。这时他正好就在斯廷保头顶的大树上。正当这个美国人把来复枪举到肩上时,泰山的头脑和肌肉的联合反应已让他作出了一个迅速的决定。泰山向下一纵直落到斯廷保的身上,把他推倒在地。在斯廷保还没有反应之前,泰山就从这个猎人腰上的刀鞘里抽出了他的猎刀,立即加入到猩猩和蟒蛇纠缠在一起的混战里去了。斯廷保好不容易站了起来,但是眼前的景象却使他呆愣在那里。

他看到一个只在腰上围着一块狮皮的赤裸的高大白人男子,皮肤已经被非洲的太阳晒成了褐色,正投入到和大蟒的战斗中。尤其让斯廷保不寒而栗的是他那时不时发出的吼声,几乎和猩猩发出的一样,但这却是从人的喉咙中发出的。

泰山钢铁一般的手指死死抓住了大蟒蛇头的后部,同时他另一只手正把斯廷保的猎刀一次次递进蟒蛇弯曲的身体。蟒蛇现在面临着又一个有威协的敌人,不得不稍稍松开对猩猩的缠绕,想把泰山也卷进来一起挤个粉碎。可是没用多久它就明白这个裸露身躯的家伙比黑猩猩更可怕。它迅速放开了黑猩猩,反转身来一阵狂扫地卷住了泰山。也就在这时,泰山手中的利刃已经深深地插入了它的颈下。

黑猩猩这时虽然被蟒蛇放了开来,但却无力地呆坐在地上,只顾连连地喘气,没有能力去救助那救了它性命的人猿。这时斯廷保也只能瞪着眼睛恐惧地观看这场人蛇大战,不敢走向前去,早就忘掉了他猎取标本的事。

这样一来,就只有泰山一个人去对付那个自然界巨大的凶猛动物了。这场生死搏斗的结果,在旁观的美国人看来,无疑是早就确定了的。因为一个血肉之躯的人类,在没有援助的情况下,怎么可能逃脱大蟒力大无比的拥抱呢?

大蟒已经把泰山的身体和一条腿缠住了,但是它继续紧缩的力量却因为它受到的可怕刺伤而减弱下来。相反泰山却能用利刃反复刺向一个地方,把大蟒渐渐软弱的身体一割为二。

人和蛇这时都已被鲜血染得浑身通红。周围一两米之内的草和灌木上也都溅满了血迹。泰山挥出最有力的一刀切断了大蟒的喉管,它也做了最后的无力的一卷。那围在泰山身上的无头的身躯,也被泰山的利刃切断扔在地上。他没有看一眼斯廷保,却对猩猩咕噜道:"你的伤很重吗?"

"不!"猩猩回答说,"我是勃勒冈尼,我还能杀死白猿。"

"我是人猿泰山,不是我救了你,杀死了大蟒蛇吗?!"泰山说。

"你不是来杀勃勒冈尼的吗?"黑猩猩问道。

"不,让我们做朋友吧!"泰山继续用猿语说。

猩猩皱起眉头,拼命在思考着这个问题,也许这是它生平遇到的第一个难题。后来他终于答应泰山的问题说:"好,我们做朋友。"接着他又指着泰山身后的斯廷保说,"我们一块来杀死那个白猿吧?他会用他的雷电棒杀死我们的。"说完它艰难地从地上爬了起来。

"不,我会让那个白人走开。"

"你吗?他不会走开。"

"我是泰山。丛林的王。"泰山回答道,"泰山的话就是丛林的律令。"

斯廷保一直看着他们在咆哮,觉得他们好像在争论什么。他想这也许又是一个新的敌人。所以当泰山转身对着他要说话的时候,他举起了他的来复枪。

"站到一边去!年轻人,"斯廷保用他的语言说道,"让我来解决这个猩猩。你和那个大蟒蛇干得已经太累了。我想你是不愿意那个黑家伙再向你扑来的吧？"这个美国白人现在还真拿不准，眼前这个大个子白人会怎么办。但是斯廷保自以为他的建议，一定会使这个大个子白人很满意。因为在斯廷保看来，黑猩猩对他肯定也是一种明显的威胁。

泰山站在猩猩和斯廷保之间有好一会儿，用带点赞赏的眼光看着后者说："放下你的来复枪。"他使用的是斯廷保的语言，"你可不要杀死这个猩猩。"

"见鬼，我才不呢！"斯廷保惊叫地说，"你以为我到丛林里来追寻这些野兽是干什么的？"

"是一种误解。"泰山回答道。

"什么误解？"斯廷保简直莫名其妙。

"误认为你能杀得了它。你杀不了。"

"那么，年轻人，你知道我是谁吗？"

"我不感兴趣。"泰山冷冷地答道。

"好，随你便好了。不过我要告诉你，我是威尔伯·斯廷保，纽约斯廷保公司的老板。"

在纽约这可是一个令人刮目相看的名字，它甚至在巴黎和伦敦也都开设有许多让人另眼相看的分店。仅此一点就让这个自恃富有的男子汉，在一般人面前从来没有丧失过他的尊严。

"你到我的国土上来干什么？"泰山根本就不买斯廷保刚才那一番亮相的账，反而漠然地反问道。

"你的国土？见鬼，你是什么人？"斯廷保吃惊地问道。

泰山转身对那两个站在斯廷保身旁的黑人用他们的土话说

道:"我是人猿泰山。告诉我这个人是干什么的?你们一共有多少人?你们这一队人中有几个白人?"

"大宛那!"一个黑人听了泰山的话后,显出十分恭敬的样子说,"我们知道你就是人猿泰山,因为当你从树上荡过来并且杀死了那条大蟒蛇的时候,我们就猜出你是谁了。在这丛林里再没有别人能这么做了。这个白人可不是个好主人。还有另一个白人和他在一起。那个白人可是个好人。他们是来猎狮子和别的大野兽的。只是他们的运气不好,什么也没有弄到,他们明天就要回去了。"

"他们的营地在哪儿?"泰山问道。

"离这里不太远。"黑人回答说。

"回你们的营地去吧!"泰山转身对斯廷保说,"我今天傍晚会到你们那里去,跟你和你的同伴谈谈。在这期间,最好不要再在泰山的国土上猎杀动物了,除非为了找寻食物。"

斯廷保听了这个陌生人的话,在他迟钝的感觉中引起一阵他从来也没有过的恐惧感。这就好像他面对一笔巨大的财富一样使他无所适从。他什么也回答不出,只是呆呆地站在那里,看着这个皮肤晒成古铜色的高大的白人向黑猩猩走去。他只听到他们彼此咆哮了一阵。然后让他大吃一惊的是,他们竟肩并肩地一道向大丛林的深处走去。当浓密的树叶挡住了他们的时候,斯廷保摘下他的头盔,拿出了一条丝手帕一直擦着他额头上的汗水,望着那些刚刚一人一兽踏过的树枝发呆。

最后,他终于转身向一起来的两个黑人气哼哼地抱怨说:"浪费了他妈的一整天。"然后问道,"这个家伙是谁?你们好像知道他。"

"他是泰山……"一个黑人答道。

"泰山?从来没听说这么个人。"斯廷保没等黑人说完,就插进来说。

"所有了解丛林的人都知道泰山。"

"呸!"斯廷保冷笑道,"一个野蛮人的话我才不听呢!不能由他说哪儿能打猎,哪儿不能。"

"主人,"黑人继续说道,"泰山的话可是丛林里的法令,最好不要触犯它。"

"我才不听你的建议呢!"斯廷保打断他的话说,"要是我说打猎,我们就打猎,你不要忘了是我说了算。"

他们在回营地的路上什么猎物也没有看见,至少斯廷保什么也没有看见。至于那两个黑人看见了什么,就不得而知了。

五
白　人

当斯廷保不在营地期间，布莱克全部时间都忙于把食物和装备平等分成两份，以备斯廷保的最后检查和同意。但是关于士兵和脚夫的分配，他却想等他的伙伴回来再说，他正在写日记的时候，斯廷保从外面回到营地。

布莱克一眼就看出他的伙伴很不高兴，不过他觉得这是这位老伙伴的常态，这也使布莱克更觉得明天就和他分手是明智之举。

可是现在更让布莱克担心的是，和斯廷保一道回来的那两个士兵阴沉沉的脸色，表明或许斯廷保又对他们进行了什么伤害或虐待。如果真是这样，那么就会给人员的分配又增加一些困难。其实从布莱克作出和斯廷保分手决定的一刻，他就预感到他们面临的最大困难是人员的划分问题。也就是说，很难找到足够的人手心甘情愿地服从斯廷保的管理，一路护送着他把行李和给养送到目的地。

当斯廷保走过那两堆装备时，不禁皱起了眉头对布莱克说："我知道你已经把东西都分好了。"

"是的，我想让你看一看是不是完全分好了，以便把它们打包。"

"我不想在这些事上找麻烦。"斯廷保说,"我知道你不会在分配这些东西上让我吃亏。"

"谢谢。"布莱克回答说。

"那么脚夫们怎么办?"

"这件事我觉得不太好办,你待他们太严厉了些,可能没有多少人盼望跟你一块回去。"

"这就是你完全错误的地方了,布莱克。你的麻烦是你根本不了解土人。你待他们太宽松,以至于他们根本就不尊敬、畏怕你。他们只知道谁打他们谁就是他们的主人,而只有主人才会在将来照料他们。你已经把那一大堆破烂都分掉了,现在就让我来把人分开,这可是我的长项。我会让你得到一伙好的随从。然后我会教给他们如何敬畏上帝,这样他们除了对你忠心耿耿以外再不会有别的了。"

"那么你计划怎么来分这些人?"布莱克问道。

"首先我要找出那些愿意跟随你的人,我可以保证会有那么几个人的。一会儿我们就向他们彻底摊牌,告诉他们我们要分开,我就叫愿意跟随你的向前一步走。然后我从留下来的人中再挑选几个好的,以补足你的配额,这不是很好吗?"

"那可是太好了。"布莱克同意说。他很希望事情会像斯廷保计划的那样容易实现,但是他内心却不相信会如此。因此,他觉得还是提出一个补充办法为好。所以他接着说道:"如果我们中有谁不能得到足够的志愿者,那么,"他继续说道,"我想我们可以给那些补充来的人一份额外的奖金。一直给到抵达铁路的起点为止。如果我得不到足够的人手,我是愿意付这样一笔钱的。"

"这想法不错。如果你怕在我走后你管不住他们,这不失为一个附加的好办法。但是对于我来说,除非有些力气不足的挑夫,我的人应该遵守他们原来的承诺。我们可不是请他来做客的。让我们看看我们手边需要有多少人手吧!"他说着向周围看了一下,最后眼睛落在一个黑人头目身上。

"喂!你到这儿来,"斯廷保说道,"动作干脆点。"

这个黑人走了过来,站在两个白人面前说:"你叫我吗,宛那?"

"把营里的人都召集起来。"斯廷保指示说,"叫他们五分钟内都到这儿来听我们讲话,一个都不要少。"

"是的,宛那。"

那个黑人走了之后,斯廷保问布莱克说:"今天营里没来什么生人吗?"

"没有。怎么了?"

"我在打猎时,跑来一个野人,"斯廷保回答说,"他竟然命令我离开丛林。你没听说过这样的事吗?"说着斯廷保竟笑了起来。

"一个野人?"

"是的,我想是一个疯子吧!可是士兵好像知道他。"

"他是谁?"

"他自称是泰山。"

布莱克不由得皱起了眉头说:"你是遇见了人猿泰山,而且他命令你离开丛林,是吗?"

"那么,你听说过这个人了?"

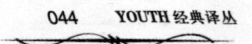

"当然,如果他命令我离开丛林,我只好照办。"

"你会这样做,可是我——威尔伯·斯廷保可不会这样做。"

"那么他为什么命令你离开丛林?"

"他就是命令我离开,就这些。要不是他来我就可能追到一头大猩猩了。这个人把大猩猩从一条大蟒蛇的缠绕下救了出来,并杀了那条大蟒,后来就命令我离开丛林,还说他以后会来营地拜访我们。最后他就和那个大猩猩一块走了,好像他们是同伙似的。我从来没有见过这种事。但是不管他是谁,这和我都没什么关系。不管他认为自己是什么人或者他认为我是什么人,只有傻瓜才以为能把我从丛林里吓跑,除非我自己想走。"

"那么你以为泰山是个傻瓜吗?"

"我以为不管是谁,只要他在丛林里光着身子,而且不带武器,那他就是个傻瓜。"

"你会发现他决不是个傻瓜的,斯廷保。而且你还会遇到你从来都想象不到的麻烦,你最好还是照人猿泰山的话去做。"

"你怎么知道他?你见过他吗?"

"不是,"布莱克回答说,"我从我们的人那里听到很多关于他的事。他就好像丛林和狮子一样,已经成为这里不可分的一部分了。尽管我们的人几乎很少见过他,但是黑人就像相信神灵那样相信他。他们都不愿做触犯他的事,如果他们认为我们得罪了泰山,那么我们大概不会有好果子吃。"

"那好吧,我想说的唯一的事就是,如果这个像猴子一样的人想要好过一些,那他最好是不要干涉我斯廷保的事务。"

"那么,他说过他要来营地里拜访我们,是吗?"布莱克问道,

"我肯定愿意见到他,自从我们踏上他的土地,我听到他的事可是太多了。"

"这可真怪了,我怎么就没听说过他呢?"斯廷保奇怪地说。

"你从来也不和咱们的挑夫和士兵们谈话。"布莱克提醒他。

"上帝!看起来我该什么事也不做,光和他们这些人聊天才是。"斯廷保不满地咕噜说。

"我是说和他们谈话。"

"我可不跟挑夫们交朋友。"斯廷保嘲笑说。

布莱克不无嘲讽地笑了笑。

"现在人都来齐了。"斯廷保说。他转身清了清喉咙,对挑夫和士兵们说:"布莱克先生和我要分手了。所有的物品都已经分配妥当。我将向西面去打猎,然后再转向南面,最后走一条新的路线回到海岸。布莱克先生的计划我还不知道,但是他要带走一半的挑夫和士兵,这可不是开玩笑的事。不管你们愿不愿意,有一半的人要跟着布莱克先生走。"

他停了一下,以便让听的人好好思考他的话。

"像平常一样,"他继续说道,"我为了使每个人都满意和高兴,我愿意给希望和布莱克先生一块儿走的人一个机会。那么听好!在那边的一堆行李是布莱克先生的,而这边的一堆是我的。所以凡是愿意和布莱克先生走的人都可以站到那面去!"

经过了一小会儿的犹豫之后,人们开始不声不响地走到布莱克先生的行李中间去。然后那些渐渐明白了斯廷保的话的人,也走了过去。直到最后所有的挑夫和士兵一个不剩地都站到了布莱克那面去了。

斯廷保竟转过身来朝着布莱克摇着头,大笑起来说:"上帝!谁见过这么一群笨蛋?没有人讲得比我刚才说的更清楚了,可是看看他们居然没有一个人听明白我的意思。"

"你敢肯定是这样吗?"布莱克问道。

有好一会儿,斯廷保还没弄清楚布莱克的问话所指。当他突然明白了布莱克的意思时,他很不高兴地说:"别傻了,当然他们是误解了我的意思。"接着他就转身对所有的黑人说道:"你们这些笨脑瓜子,你们还懂什么?我没叫你们全都跟了布莱克先生去。我只是说那些愿意跟布莱克先生去的人才跟他去,那么那些愿意跟我走的人,现在还回到我的行李堆这面来,动作干脆点!"

没有一个人走回到斯廷保的行李堆这面来。他不由得大怒起来,吼道:"这简直是造反了。谁在背后捣鬼,他要受到惩罚的。那么你,到这来。"他指着一个头儿说,"谁叫你的人这样干的?布莱克曾经告诉你们怎么做吗?"

"别傻了,斯廷保。"布莱克说道,"没有人告诉他们这么做,也没有什么造反或背叛。计划是你定的。这些人也都是照你告诉的那样去做的。要不是因为你让人难堪的自负,你早该明白,为什么会产生这样的结果了。这些黑人也是人,在某些方面他们甚至是像孩子一样敏感的人。你打他们,骂他们,还伤害他们,他们也只有怕你和恨你。你做了许多让他们又怕又恨的事,你撒的种你收获。我希望看在上帝份上,你会从此受到教育。我看除了付出一笔高额的报酬以外,再没有别的办法了,你愿意这么做吗?"

斯廷保的自信最后终于动摇了,至少从他脸上的表情看,他开始明白布莱克是正确的。他向周围无望地看了一下。黑人们都沉着脸,站在那儿,就像一些不会说话的动物一样地看着他,所有的目光里没有一丝友好的光芒。他只好转身对布莱克说:"看起来只有你对他们说了。"

布莱克对站在他这面的人们说道:"你们中间必须有一半人陪斯廷保先生回到海口去。只要保证对他忠实,他会给送他的人双倍工资。你们自己互相商量一下,然后让你们的头儿随后给我们一个回话。就这些,你们现在可以走开了!"

以后的整个下午,两个白人都各自待在他们自己的帐篷里,黑人们则各自成堆地小声议论着。布莱克和斯廷保也再没有去干涉他们。吃过晚饭以后,他们各自衔着烟斗走了出来,等待黑人头目给他们回答。又过了一个半小时,布莱克看没有丝毫动静,只好打发他的侍从去把所有的人都叫了来。不多会儿他们都聚集在两个白人面前。

"你们商量好了吗?决定哪些人跟随斯廷保先生?"

"没有人愿意跟老宛那走。大家都愿意跟年轻的宛那走。"黑人头目站出来说。

"但是,斯廷保先生会付丰厚的待遇的,而且你们中间必得有一半人跟他走。"布莱克提醒说。

"他不会给够我们钱的。"黑人摇头说,"没有人愿意跟他走。"

"你们原来说好的是和我们一块出来,还和我们一块回去。"布莱克说,"你们必须履行我们原来的协议。"

"我们同意的是和你们两个人一块儿出来,一块儿回去。并没有说要和你们分开回去。我们会履行我们的诺言,但是老宛那也必须和年轻的宛那一块走才行。"这个黑人的话语里有一种不容商量的口气。

布莱克想了一会儿只好说:"你们走吧,我明天早上再和你们说。"

可是就在黑人们还没散的时候,突然有一个人影从黑暗里走到营火的光亮处里来了。

"谁?哦……是你呀!布莱克,这就是那个野人,布莱克!"斯廷保叫道。

年轻的美国人转身观察起站在篝火亮光处的棕色皮肤的高大白人来。他注意到来人雄健的外形,庄严的表情和高尚的神态,不由得心里暗笑斯廷保竟会把这样一个人说成是傻瓜。

他肃然起敬地问道:"那么您就是人猿泰山啦?"

泰山微微点了一下头反问道:"那么您呢?"

"我是来自纽约的吉姆·布莱克。"年轻的美国人回答说。

"当然是来打猎的了?"

"是带着一架照相机来的。"

"你的同伴可是带着一支来复枪。"泰山提醒说。

"我不对他和他的行为负责,我管不了他。"布莱克回答道。

"任何人也不行。"斯廷保猛地插进来说。

泰山把目光慢慢地移向斯廷保,朝他看了一小会儿,并没有理他的大话,却冷静地对布莱克说道:"我听见了你和那个黑人头目的谈话了。黑人已经告诉了我有关你伙伴的情况。两天以来我也有机会亲自观察你的这位朋友。我就预感你们会分手,因为你对他的一些做法是不同意的。我说得对吗?"

"是的。"布莱克承认说。

"那么你们分手之后,你的计划是什么?"

"我想再向西前进一些路,然后转向——"斯廷保宣布说。

"我是和布莱克先生说话,有关你的计划,我早已通知了你。"

"好!那么谁——"斯廷保想争辩谁有决定权。但他的话却被泰山不客气地打断。

"别说了你,"泰山劝告说,"请你继续说下去,布莱克先生!"

"我们至今还很不走运。主要我们在途径上很不一致。结果是我始终还没找到一个像样的野生动物去研究。我计划向北走一段路去找狮子拍一些照片。我不想一无所获就回去,免得这次探险的钱和时间都白白浪费了。但是现在这些黑人却拒绝分成两部分各自跟随着我俩走。这样我们就只能选最短的路回到海岸去。"

"你们两个人好像都没有考虑到我的问题。"斯廷保不满地咕噜道,"我在这次探险中也和布莱克一样,是花了大钱和时间的。你忘了我是来这里打猎的,究竟我是要继续打猎,还是直接就回到海岸去,都和看没看见一个猴子样的人没什么关系。"

泰山仍然没有理他,只对布莱克说:"请你们最好在明天太阳升起以前就离开。我想分配士兵大概没多大问题,我会来这里参加这项工作,并传达对你们最后的命令。"

说完之后,他就转身消失到丛林的黑暗里去了。

六
闪　电

天还没亮,营地里就忙乱起来。到了指定的时间,行李已经打包停当,一切都已准备就绪。挑夫也都来到行李前面,等待探险队向东面的海口进发的命令。布莱克和斯廷保静默地吸着烟。忽然附近一棵树上的树叶随着树枝摆动了一下,人猿泰山纵身轻轻地落到营地中。黑人们不由得发出了一阵夹杂着恐惧的惊呼。这时泰山转向他们用他们的语言说:

"我是人猿泰山,丛林之王,你们把白人领到这里来,杀害了我的属下,让我很不高兴。要想平安地回到家乡的人,就要听好并按着泰山的命令去做。"

"你!"泰山指着黑人中的一个领头的人说,"和那个年轻的白人一起走,我允许他在我的国度里拍一些照片,地方和时间都由他自己定。你就挑一半探险队的人,跟上年轻宛那走。"

"而你,"他又对另一个领头人说,"带上其余的人,走最近的路,一点儿也不要延搁,送年老的宛那直接到铁路去。不允许他打猎,除了自卫以外也不允许他进行任何杀戮。不要不遵守我的命令。记住泰山总是在看着你们,我也绝不会忘记我说的话。"

然后，他转身对着两个白人说:"布莱克先生，安排俱已妥当,你愿意什么时候离开就什么时候离开,愿意到什么地方就到什么地方,你是泰山的客人。至于狩猎的问题由你自己决定,你是知道我的规则的。"

"而你先生,"他对斯廷保说道,"最好直截了当地离开我的国土。我允许你带上火器,但只限于自卫。如果你滥用这一许可,那么这些武器就会从你身边拿走。不要打猎,即使为了食物也不行,你的领头黑人会替你干这件事。"

"停止你的胡搅蛮缠!"斯廷保大吵大嚷地说,"你以为我会忍耐对我一个美国公民权利的任何干涉吗?那你就完全错了。凭什么我要买你和你树林的账?看在上帝的份上,布莱克,你告诉这个可怜的傻瓜我是谁,免得他自找麻烦。"

泰山没有理他,转身对他为斯廷保选定的那个领头黑人说:"你们可以带上行李走了。要是这个白人不愿跟上你们,就把他撂在后面。他要是听你们的,就好好地照看他,把他安全地送到铁路起点站。只要他的命令和我告诉你们的不相违背,就都可以听他的。好,走吧!"

一会儿之后,斯廷保的队伍就按着泰山的要求出发了。布莱克的探险队也走出了营地。不管斯廷保怎样咒骂和威胁,他的人仍然不理不睬不声不响地快速没入丛林向东走去。泰山早就在树枝间荡得无影无踪了,最后只剩下斯廷保孤零零的一个人站在荒无一人的营地中。

斯廷保又失望又无奈,心里火冒三丈,但他也只好在后面循着他那支队伍的方向追去。当他终于追上了他的那支排得整齐、却悄无声息的队伍时,他走到那位领头黑人的身旁,最终多少相信了泰山比他的权力要大得多的事实。在他心里却时时充满着愤怒,不时地盘算着这样那样的报复计划,但最终他认为这一切都是无效的。

泰山希望他的指示会得到遵守。他早早地荡到斯廷保的队伍必经的小路旁一棵大树的枝丫上,他可以清楚地听到斯廷保队伍走来的脚步声。但这时在相反的方向,也有一个东西向这里走来。泰山虽然看不见它,却能清楚地知道它是什么。这时在树冠上空翻滚着乌云,而丛林里却没有一点空气流动的迹象,这预示着一场暴风雨就要降临。

在丛林小路中走来一个浑身长黑毛的大个儿。当它走近泰山蹲着的树的前方时,泰山向它打招呼说:"勃勒冈尼!"

黑猩猩立刻停了下来,用后腿高高地站起来向四周张望着。

"我是人猿泰山。"泰山高声对它说。

"我是勃勒冈尼。"黑猩猩咕噜着回答道。

"有白人走过来了。"泰山警告说。

"杀死他!"黑猩猩咆哮道。

"让白人和他的队伍过去,"泰山不同意地说,"他和他的黑人们有许多雷电,我已经让这个白人和他队伍走出树林去。勃勒冈尼离开这条小路远一点就行,那些黑人和比他们更笨的白人,是不会知道泰山和勃勒冈尼就在他们附近的。"

从远处的天空,已经响起了轰轰不断的雷声。泰山和黑猩猩不由得都抬头向远处广阔的天空看去。他们也许会觉得大自然比他们更具破坏力。

"雷神正在天空追猎。"泰山用猿语对黑猩猩说。

"在追风神吧！"黑猩猩回答道。

"我们可以听到风神穿过树枝在逃跑。"泰山看着低垂的乌云说，"连太阳神也怕雷神，所以当雷神狩猎的时候，他也遮起脸来。"

闪电在天空划过一道道亮光。对泰山和黑猩猩来说，它们就像从一张张劲弓上射出的许多支利箭。而那紧随而来的大雨点恰好似从大风被射中的许多伤口流下来的血滴。尽管风摧折大树枝发出阵阵的爆裂声，但绝赛不过隆隆的雷鸣。树梢像挥舞的鞭子甩过来甩过去，风在呼呼地扫过丛林。天色越来越阴暗，雨点也越大越密。树叶和折断的小树枝不断地在半空中飞旋。有不少大树经不起风雨雷电的摧残竟拦腰折断，发出震耳的声音。野兽们大都躲进它们的洞穴里，或是聚在大树下抱成一团避开这不可抗拒的天威。

泰山这时正伏在大树的枝丫上，弯着背对着瓢泼的大雨。树下离小路不远，蹲踞着被大雨淋得浑身湿透、长毛都贴在一起的狼狈不堪的黑猩猩。他们除了等待着雨停外完全无所作为。

在他们的头上暴风雨肆无忌惮地发着淫威，焦雷一个个地发出震耳欲聋的巨响。忽然一声树枝断裂的声音，泰山蹲踞的枝权在狂风暴雨中突然折断下来，直砸到树下的小路上，泰山也跟着一个跟头倒栽下来，落下来的树枝正好砸到他的头上。

暴风雨正像它来时那样，走得也迅速，一霎时便雨过天晴。太阳已从云端里露出了脸。黑猩猩还没从沮丧和恐惧中摆脱出来。它仍然蹲在地上，动也不动地一声不出，大概还不敢惹那刚刚过去的闪电。

斯廷保浑身湿淋淋的，又冷又气，在雨后泥泞的小路上艰难地向前走着。他不知道这会儿他的探险队正在他前面不远处。因为正当他在风雨中前进的时候，那些黑人躲到了大树下避雨。

在小路的一个拐弯处，一根折断在地上的大树枝挡住了他的去路。起初他并没有注意到大树枝下面还压着一个人。等他看清楚那躺着的原来是泰山以后，他不由得高兴起来，如果泰山死了，他不就可以随心所欲了吗？可是泰山死了吗？

斯廷保立刻跑上前，跪下身把一只耳朵贴在泰山胸上听着。然而他的脸上露出失望的神色——泰山没有死！然后他对小路前后看了看，又向周围扫视了一下，不见一个手下人的影子，他两眼露出了恶狠狠的神情，现在就是他一个人和这个使他蒙羞的人在一起！

他并没有看见那个毛茸茸的家伙已经悄悄从它蹲踞的地方站了起来，因为斯廷保走过来的脚步声，早就使它恢复了知觉，这时正从树叶间向这里窥视着，看着他和静静躺卧的泰山。

斯廷保从刀鞘里拔出了腰刀。他会把锋利的尖刃刺进人猿的心脏，然后跑回小路上去。接着他会找到他那一队黑人挑夫和土兵，然后，他会装出无意间和他们一起遇见泰山的尸体。那些黑鬼当然不会猜到是他杀死了泰山。

可就在这时，人猿泰山动了一下，他开始恢复知觉。斯廷保意识到自己要赶快行动。但说时迟那时快，一只满是长毛的手臂却从树叶间伸了出来用力地抓住了斯廷保的肩膀。斯廷保猛一转身忽然看见了黑猩猩可怕的毛脸，不由得大叫起来。他用腰刀径直向黑猩猩的胸膛砍去,却被这个野兽一掌抓住扔到老远的草丛里去了。

黑猩猩露出发黄的獠牙直向斯廷保的喉咙咬去,正在这时泰山睁开了眼睛。

"住手!"

黑猩猩停下来,看着它的伙伴。

"让他走。"泰山说。

"这个白人差一点就把你杀了。"勃勒冈尼向它的朋友解释说,"是勃勒冈尼阻止了他,所以勃勒冈尼要杀死他。"

"不!"泰山断然地说,"放了这个白人。"

这时,那些黑人挑夫和士兵的队伍已经出现在小路的另一头。黑猩猩松开了斯廷保的手,但是当它看到出现的人越来越多时,它神经的紧张和愤怒也跟着增加起来。

泰山看出了这情形,于是对黑猩猩说:"到丛林里去,勃勒冈尼!泰山会小心对付这个白人和那些黑人的。"

黑猩猩离去前咆哮了一声,接着就消失在浓密的树丛中了。泰山这时也转身对着斯廷保和他的手下说:

"斯廷保先生你算是死里逃生了一回,你没能杀死我算是你的福气。我留在这一带本来有两个目的,一是看看你是否按我的指示做了,二是想保护你免受你手下黑人们的伤害。因为今天早上在营地里,我看出他们对你有点不怀好意。老实说把你一个人丢到丛林里并不是什么难事。这等于是给你一包毒药或一把刀让你自尽。因为你是一个白人,我对你多少有点责任感。但是你刚才的行为,解除了我们之间这种种族纽带关系。我不会像你想的那样杀死你,但是今后你只好靠自己的力量回到海岸去了。不过你以后会发现,如果一个人在丛林里不能交上几个朋友,那么他会连一个不怎么样的敌人也对付不了。"

说完,泰山转身对黑人挑夫和士兵们说道:"人猿泰山要干自己的事去了。你们以后也不会再见到我了。只要这个白人遵守泰山的规则,你们就要负责把他送到海岸或铁路,但是注意不要让他随便打猎!"

说完了最后一句警告的话,泰山就跳到树上抓住那些柔软的树枝,向远方丛林深处荡去。

当斯廷保反复问清他的黑人们,泰山确实向他们保证说不再回来之后,他的自信和以前的那种狂妄和骄横又有点恢复。现在他觉得不管怎么说,他毕竟曾是黑人们的领导,对他们曾高声喊叫过,显示过他的威风。他以为只有用他居高临下的姿态才能控制住这些黑人。他甚至认为现在泰山已经说了不再回来,他就可以故意反对泰山的命令以树立自己的威信了。说来也巧,就在这时他遇见了一只羚羊,他毫不犹豫地就开枪把它打中了。

当晚的营地非常沉闷,黑人们三五成群地在低语议论着。

"他射杀了一只羚羊,泰山会生我们气的。"有个黑人说。

"他会惩罚我们的。"领头人插进来断定说。

"我们的这个宛那不是好人。"另一个黑人说,"我都希望他死了算了。"

"泰山说过我们不能杀死他。"

"要是我们把他一个人撂到丛林里他也活不成。"

"可是泰山要我们尽到我们的责任。"

"泰山要我们这样做,到宛那一直服从他的规定为止。"另一个黑人反驳说。

"现在他违反了泰山的规定。"

"那么,我们可以离开他了。"好几个黑人附和着。

斯廷保由于一天的跋涉,太疲劳了,倒头便呼呼大睡。当他第二天早上醒来时,太阳已经很高了。他喊着伺候他的黑人,但是营地里没有回答。他又高声喊了几声,骂了几句。仍然听不到任何回答,也没有人前来。

"这些懒猪,等我起来他们会活动起来的。"斯廷保嘴里生气地咕噜着。

他一面起身,一面穿衣服。这时,营地里的寂静使他感到一种威胁的压抑。因此他尽快地完成了起床的一切动作走出帐外。当他来到营地的空场上,这里的一切几乎一眼就能看清。目光所及没有一个人,只有一小堆够他一个人用的给养留在那里,显然别人都走了,把他一个人抛弃在非洲腹地。

他第一个冲动就是赶快抓起他的来复枪,然后紧追那些黑人。但他接着就明白这是把他自己置于这些黑人的控制之下。现在这些黑人已经表明要抛弃他,而且他们之所以敢这样做,是因为他们决不会受到惩罚。所以如果他回到这些黑人身边并继续强迫他们,那么这些黑人甚至可以想到更快的法子抛弃他。

现在似乎只有一种选择,那就是赶快找到布莱克并和他留在一起。他知道布莱克是绝不会把他丢下,让他死在丛林里的。

黑人们还是给他留下了一份给养,也没有拿走他的枪和火药,但是眼前他所面对的困难,是如何带上他的食物走路,黑人们确实给他留下了不少,够他吃好些日子的。

可是他清楚地知道,他不可能带上全部给养穿过丛林,他只能带上来复枪和火药。留在这里和他的食物一起等待救援也是无济于事,因为他知道布莱克会从另外的路线回到海岸去。此外,人猿泰山也说过,他再不会跟踪斯廷保的队伍,那么,等到有人发现他在这里恐怕要过去好多年了。

他知道他和布莱克现在大约相距有两天的路程,如果他能轻装前进,而布莱克走得又不是太快的话,那么或许他会在一周之内追上他。也许布莱克发现了什么好的拍照对象,在哪里扎一个较长久的营地的话,他甚至有可能更快地追上。

当他作出新的决定以后心情好多了。他吃过一顿丰盛的早餐后打起了一个小给养包,估计足够一个礼拜食用的,又在自己的腰带上和口袋里装满火药,背上枪,沿着来路向回走去。

这已是他第三次走这条路了,所以很容易就回到了他和布莱克分手的营地。当他来到那一片空场时才刚刚过午。在继续赶路之前他想稍微休息一下。他倚着一棵大树的树干坐下,一点儿也没注意到几米之外的一堆草丛叶梢的摆动。不过,就算是他看见了,也不会警觉其中有什么危险。

坐在树下吸了一支烟,斯廷保站起身重新整理了一下背包,动身朝着前一天布莱克走过的路走去。但是他还没有走出多远,他突然被一声咆哮吓得一愣。他前面的一处矮树丛里站起来一头长着黑色鬃毛的大狮子。几乎是同时,那矮树丛向两面一分,狮子径直走到空地上来。

斯廷保吓得大叫一声,丢下背包甚至来复枪,撒腿向他刚才休息的大树飞跑去。那头狮子似乎也吓了一跳,它望着斯廷保停了一下,才慢腾腾地向前跟去。

斯廷保惊恐地向后看了一眼,心里充满了恐惧,因为狮子看起来是如此的近,而最近的树又是那么远。他正以一种吓人的速度没命地奔向附近最低的树枝。尽管他现在已不算年轻,可他还是能恰如其时地奔跑到那里,并抓住那棵救命树枝翻了上去。要不是老天保佑,要脱离这样一场险境,真得是一个训练有素的运动员不可。

如果他的速度再慢一些,狮子的利爪就抓住他的靴子了。这速度的惯性使他又向高处爬了一段。他以仅有的力气死死地抓住了一根不太粗的树枝。然后向下看着那头正向他张望咆哮的吃人野兽。

有好一会儿,兽王向他咕噜着咆哮着。但最后它无可奈何地低声吼叫了一下,转身迈着威严的步伐向它现身的草丛和灌木林走去。半路上它发现了斯廷保丢下的给养袋。它显然受到那里人的气味的刺激,抬起前掌就把给养袋推翻在地,然后跳上去,发疯似的一面咆哮一面乱抓乱咬。特别是那些散发着某种食物香味的包装物,更使它气愤不已。它不断咬啃着罐头和盒子,直到把里面的东西都吃掉为止。这时斯廷保一直趴在树上呆呆地望着他的给养所遭受的这场浩劫,无能为力。

他不只一次地诅咒自己不该连来复枪也丢掉,不过更多的想法是,他决心复仇。他心里还不停地安慰自己,布莱克那里一定不会短少给养,他可以通过捕猎或购买得到更多的食品。只要那头可恶的狮子离去,他就可以溜下树来,循着布莱克走的路追下去。

狮子闹了一阵,对这一堆给养袋子厌倦了,于是又回到远处那一堆草丛里去了。但是,它的注意力又被半路上搁在那里的火枪所吸引。它在那武器跟前嗅来嗅去,把它放在两个爪子之间。斯廷保不由得怕起来,心想要是被它弄坏了可怎么好?那么他就既无法防身又无法觅食了。

"放下它!"斯廷保朝狮子大声喊叫道,"给我放下!"

狮子根本就不理会他发疯的吆喝,大步地向它的巢穴走去,鬣毛上挂着那支来复枪。

这一天下午和晚上,威尔伯·斯廷保完全是在恐怖中度过的。当阳光消失以后,狮子仍然留在那一片草地上,它当然有效地阻止了满怀恐惧的斯廷保去追寻布莱克的营地,而且当夜晚降临之后,对丛林之夜的恐惧使他无限的气馁,更使他无论有什么理由也不敢溜到树下去,就算明知道狮子已经离开,他也觉得还是待在树上安全。几乎从入夜到破晓,在他蹲踞的树下都有着来自各方的,像疯人院里的咆哮、吼叫、咕噜、咳嗽以及喷嚏等等野兽的声音,好像有着一场不曾停歇的丛林生物的长谈。而他所待着的那棵大树也不过是个并不十分安全的避难所而已。

当清晨到来之后,丛林里倒出现了一片和平的宁静。只有周围丢弃的那些空罐头和被撕毁的烂帆布片也许能证明这里曾有过一场鬣狗举行的盛宴。狮子已经离去,它给鬣狗们留下了由它捕杀的动物残骸当作主餐,而斯廷保提供的那些罐装食品,就好像是这场盛宴的餐前小吃了。

斯廷保战战兢兢地从树上溜了下来,张大眼睛对每一种不期而遇的声响都感到惊慌,像一只惊弓之鸟——这样一个可怜、衰弱的老人在树林里匆匆走过。此时的斯廷保再也不是"威尔伯·斯廷保,纽约斯廷保公司的老板"了。

七
大十字架

　　曾经光临斯廷保探险队的那场暴风雨,给詹姆斯·布莱克造成的灾难甚至更大。就在那耀眼的电光一闪之间,一声震耳欲聋的惊雷,竟然从此改变了布莱克一生的命运。

　　布莱克带着一个替他拿照相机和一支备用来复枪的黑人,为了寻找可拍摄的野兽镜头,离开他的探险队所走的线路,选取了一条和大队行进路线方向相同、但有着更多狮子踪迹的小路前进。他计划傍晚时和大队在宿营地相会。和他同行的黑人既聪明又有丰富的野外丛林经验,关于大队的行进路线和速度他都了然于心。所以,他要完全负责把布莱克按时而且安全地带到约定地点。因此,布莱克得以把注意力完全放在寻找拍照的机会上。

　　离开大队不久,布莱克就与一小队狮子不期而遇。它们有七八只之多,包括一头雄壮的公狮和一头母狮,以及五六个半大的刚长成的幼狮。

　　这群狮子看到布莱克他们,就开始在丛林比较稀疏的地方以一种悠闲的姿态避开他们向前走去。而布莱克紧随其后,以便找到最合适的机会获取照片。

这时和布莱克一起的黑人的脑海里,也描绘出兽群迂回曲折的行进路线和他们大队之间的距离。他知道在什么方向和什么时间他和他的主人将和大队相会。回到大队的路线上去,在他来说应是不成问题的事。

　　大概足有两个小时,他们紧紧追踪着狮群。他们为不时能看到几只狮子在树丛间时隐时现所鼓舞,而坚持随着它们前进,只是一直找不到最合适的机会拍下一组成功的照片。然后天空很快阴了下来。刹那间彤云密布,一场只有热带地区才有的那种可怕暴风雨不期而至。不久震耳欲聋的惊雷和使人目盲的闪电,像一场大灾难在布莱克和他的伙伴还来不及躲避时就把他们吞食了。

　　被几尺远的一个炸雷打昏的布莱克,睁开眼睛时暴风雨已经过去,太阳正从浓密的树叶间照射下来。他用一只胳膊肘慢慢撑起自己的身体向周围看着。他一点也不知道自己躺了多久,甚至还在茫然中,根本就不明白这场灾害的原因和给他造成的损失。

　　他第一眼看到的景象大大有助于他很快恢复知觉,距他不到一百尺的距离内正站着那一群狮子。它们大约是七头,用一种庄严的目光审视着他。它们彼此之间各不相同的姿态和风度各具特色,甚至也像我们人类一样有它个体的特征和气质。

　　这些狮子观察着这个从来也没有骚扰过它们的叫作"人"的东西。它们几乎从来没有看见过什么"人"。它们从没有被捕猎过,更可幸的是它们现在都已经饱餐过,而且布莱克也没有必要去触动它们易怒的神经。对于他,它们只觉得好奇罢了。

当然布莱克并不了解这些。他只知道眼前七头狮子站在不到一百尺远的地方，它们并不在笼子里，而且，他现在最需要的是一支来复枪而不是相机。

为了不打搅它们，他偷眼向四周寻找他的武器。让他大吃一惊的是，他不但看不见他的来复枪，就连他的黑人随从以及他背的那支备用的来复枪也都不知哪里去了。这个黑家伙能到哪里去？无疑他是被狮子们吓跑了。距离他约有二十尺有一棵颇为诱人的大树。他不知道，如果狮子们向他发起攻击时他是否能跑到那里去。他试图回想听到的有关野兽的知识，想起了一桩几乎是不言自明的事实：如果你见了野兽逃跑的话，那么它就会追上来。可是要到这棵树上去，却是要面对着它们走去。

布莱克现在处在一种犹豫不决的困境。就在这时，一头小狮子好奇地向前走了一步。对布莱克来说，事情变得更加紧迫了，因为狮子们越向前走，他逃到树上去的机会也就越少。

在一座巨大的丛林里，到处都有树环绕着。而这一次大自然却选择了一处相对空旷的地方把布莱克击倒。这里还有另外一棵大树，它在狮子的相对方向，也就是布莱克的背后一百尺，而距狮子约二百尺的地方。布莱克打量了一眼，在心里盘算着，如果他向这棵树逃去，那么他要跑一百尺，狮子们要跑二百尺，可是狮子的奔跑速度要快得多；如果他选择近处的这棵树，那么他只要跑二十尺，而狮子却要跑八十尺。看起来选择近处的这棵树对他似乎更有利，只是他要面对着狮子们走去。

布莱克可以说真是有点被吓坏了，但是除非狮子们是精神分析学家，它们无法理解这时布莱克的内心状态。它们做梦也不会想到布莱克这时为什么会站起来,不慌不忙地向它们走去(也就是向近处那棵大树走去)。这时对布莱克最难的技巧是让他自己的双腿服从他的控制。它们从来也没有这样不听指挥过。它们要跑,甚至布莱克的心和脑子也都有这种欲望,只是他的意志紧紧地约束着它们。

对布莱克来说这是一段紧张的时刻。布莱克在狮子们的注视下向它们走去的头五六步,他看到它们开始有点激动起来。母狮子不安地移动了一下身体,老公狮子咆哮了一两声。一头年轻的公狮子,也就是那头向前走了两步的小家伙,用它的尾巴向地上扫了两下,而且把头向下、向前伸去,露出了它的獠牙,偷偷地向前移动着身躯,作出一种要发起攻击势。

就在布莱克已经到达那棵大树时,不知是什么原因,那头母狮子忽然跳起来,转身向后跑去,而且咕噜着发出低低的一声哀鸣,而其余的在它后面的六头狮子也跟着走开了。

在以后的事态发展中,就连刚才那些让他虚惊一场的狮子也被忘记了。因为布莱克连喊了好多声,跟着他的那个黑人竟然连一声都不回答。布莱克决定要好好找找他。结果没走多远,他竟然发现了一具烧焦了的残肢和一支熔化了的来复枪管,至于那具照相机却是踪影全无了。显然震昏了布莱克的那个焦雷,给黑人随从和来复枪造成了更大的毁灭性损害。它不仅击死了黑人,甚至引爆了火药,炸飞了他的照相机和黑人的身体。就连曾经扛在他肩上的那支来复枪,也许在他倒地的一刻也被甩出老远,随着火药的爆炸不知炸到哪里去了。

现在,布莱克清楚地意识到他迷路了。他对他的探险队计划中的宿营地将在何方一点儿概念都没有。他只能盲目地、按着他希望是正确的路线前进。但事实上，他应该向东北方向前进，而他却向正北方向走去。

整整两天，白天他在浓密的丛林里摸索前进，晚上则露宿在大树枝头。有一次他抱着睡觉的大树枝忽然摇晃起来，他从本来就无法安然入梦的间断睡眠中被惊醒。他感到树枝被什么大动物压弯了。他睁开眼搜寻时，发现在他的前方树叶中露出了两只让人恐怖的闪光的绿眼睛。布莱克知道这是一只豹子，只好掏出仅有的防身武器手枪，开了一枪。只听得一声可怖的吼叫，这只大猫不知是跳还是跌到了地上，也不知是否打中了什么地方，总之第二天布莱克下树已找不到它的踪影。

他在丛林中找到了丰富的食物和水。第三天他终于走出了丛林，来到一处高耸的山岭脚下。这也是数周以来他第一次看到开阔的蓝天和在他与大山之间遥远的地平线。他原来并没有意识到不见天日的丛林和林立的树木给人感觉上的压抑，现在忽然走到光天化日之下，他觉出一种禁闭后获得自由的轻快与放松。找到救援好像只是时间早晚而已。他想高唱或者大喊，但是他却收起了兴奋，向大山走去。他意识到在丛林里是不会有任何土著人的村庄的。他理智地认为在这水源充足的地方却可能有以狩猎为生的土人，也许在山坡上就可能找到他们的村庄。

布莱克跋涉到一个小山冈上，下面的山谷里有一条小溪流，也许这条小溪就会流向一个建在它旁边的村庄。要是他沿着小溪走去，大概会遇到这个村庄。他下到谷底，在溪水边他非常幸运地找到了一条已经踏出来的和水流平行的小路。他为将遇到土人而兴奋，为他们会很快帮他找到他的探险队所鼓舞，布莱克就这样想着，走进了峡谷。

布莱克顺着这条路大约走了三英里，一直也没有发现任何居民的痕迹。就在转过一个路口以后，在他面前突然出现了一座巨大的白十字架。它由石灰岩雕凿而成，就竖立在他的面前，足有六十英尺高，充满了风雨侵蚀的痕迹。在它巨大的座基上还可以看出那些已经有些漫漶不清的碑文，更加证明了它存在过的古老时期和久远的年代。

布莱克审视了好半天这些文字，一点也弄不清它们的含义，也无法确定它们是什么文字。这些文字有点像起源之初的英文，但它们在这里出现，却又叫人觉得不可思议。他知道这里大概距离阿比西尼亚的南部边境不会太远了，而阿比西尼亚人是信奉基督教的。他只好这样来解释这座巨大十字架的存在。但是为什么要把这样一个象征耶稣苦难的十字架放在这里，却又让他百思不得其解。它表示什么？它是做什么用的？

它无言地竖立在这里，饱经风雨沧桑。它像暗示着布莱克前面可能是一处未知的险境，应该停止向前。因为，看起来它不像是出自一种仁慈的警戒，倒更像是对外来者显示出傲慢与憎恨。

布莱克对自己的这些胡思乱想不禁哑然失笑起来。于是丢开那迟疑不决的思绪，大步向前走去。当他走过这座巨大的白色石块时，尽管他并不是天主教徒，也不由得在自己的胸前画起了十字。对自己这一不自觉的生疏行动，他无法立刻作出解释，只能说这个陈旧古老的大十字架的存在对他有一种神秘可怕的无形压力，使他产生了敬畏与恐惧。

转过小路的另一处转弯以后,路旁左右正好有两块大约是从山上面滚落下来的大砾石,路开始变得狭窄起来,显然他快走入狭谷的尽头了。但这里至今看不到一点什么村落的痕迹。那么这条路所往何向呢?它的形成总得意味着它通向何处吧!他相信他能找到这条路的终点和目的地,如果运气好的话。

布莱克尽管仍然因为那个莫名其妙出现的大十字架而心情沉郁,他还是决定穿过这两块大砾石。就在他走过这两块大砾石的时候,突然钻出一个人来,拦住了他的去路,而从他身后又钻出了另一个人挡住退路。他们都是身材高大健壮、体形匀称的黑人。他们一点也没有对布莱克的出现显出奇怪和惊讶。布莱克当然很想遇到黑人土著,尤其是当他迷路的时刻,不过却不是像他面前出现的穿着奇装异服的家伙:他们穿着皮制的紧身无袖外套,上面显眼地绣着一枚大红十字;外套的下面是一件合身的长袍;脚上穿着由皮条几乎缠绑到膝下的凉鞋;头上戴着豹皮制的尖顶头盔,向下垂一直盖过耳朵;手里各自拿着一把尖刃的长刀。

布莱克一下子就感觉到这两个黑人手中尖刀的威力,它们一个正对着他的小肚子,另一个也正好顶在他的后腰上。

"你是谁?"①面对着布莱克的那个黑人问道。

要是他们用的希腊语或别的什么布莱克不懂的语言,都远没有在这块非洲腹地,突然发出这种陈年往岁的英语更使布莱克大吃一惊的了。他一下子竟愣在那里,什么也答不上来。

"保罗,这家伙肯定是一个撒拉逊人(阿拉伯人的古称)。"站

---

① 这个黑人说的"你"却是用的老式英文"汝",以下城堡里的人均用古英语。

在布莱克后面的黑人说道,"不管他懂不懂我们的话,或者他说什么,准是一个闯进来的奸细。"

"非也,彼得·威格,我以我的名字保罗·鲍得金保证,他不是异教徒,这我一眼就看出来了。"

"管他是何等人,只要把他带到队长那里去,一问就知道了,不是吗?保罗·鲍得金。"

"在这里问一问有什么。他会回答的。"

"住口!在此是我说了算,汝带他去,我继续守在此地等汝回来。"彼得命令道。

于是保罗让开了路,让布莱克走在前面,他跟在后面,循路走去。此时布莱克不用向后看就知道,保罗的刀尖一定紧对着他的后心,摆出一副时刻防备的姿势。

他们面前的路是平坦的,布莱克用不着任何迟疑,径直向山崖走去。在那里出现了一个洞口,引向在岩石上开出的一条直上陡坡的甬道。在它的入口处有一个在一侧岩壁上凿出的石龛,那里面斜放了好多用芦苇或细树枝绑起来蘸了松脂的火把。保罗·鲍得金从他身侧的袋子里取出一个金属小盒,从里面拿出一点火绒,用火镰和火石打着一些火星在上面,然后吹起火苗,把手中捡起的一支火把点着,转身挥手仍然让布莱克走在前面。不用说他仍然用他的刀尖顶着美国人的后心前进。布莱克发现这里的通道狭窄而弯曲,当然是很利于防守了。脚下的石板已磨得很光洁,甚至能把火把的光亮反射到洞壁上。尽管顶板和两侧都有一道道被烟熏黑的地方,甬道里却仍然显得分外明亮。布莱克现在一点也看不到甬道的尽头,不知道它将延伸到哪里。

八
陷 害

威尔伯·斯廷保不熟悉在森林里生活的任何技巧,而且此时,他的聪明才智已经被巨大的灾难惊吓得麻木起来。他像一只惊弓之鸟,小心翼翼地穿过丛林,向前走去。途中任何一个被惊起逃跑的小动物都会让他吓一大跳,他甚至幻想出种种可怕的遭遇。现在,他的衣着也很不像样子,褴褛的衣衫上沾满了污垢,所谓的衣裳,仅仅能遮住他瘦弱的身体。原先是灰白色的头发,经过这四天来,已经又白了许多,恰巧与他那刚刚长起来,又无法打整的胡子,是一样的颜色。

他正沿着一条宽阔的林间小径向前走去。很明显,这条小径很可能是人、兽渐渐践踏出来的。他并不知道前面是否会有文明人,当然更不会想到在那里他会遇见布莱克的探险队。他就这样跟跟跄跄、极度疲惫地走进了也正在缓慢向前移动着的伊本扎得的营地。

弗朱安——那个加拉人奴隶,首先看见了他,就把他领到酋长的帐篷里去了。这时,伊本扎得和他的兄弟托洛格,正蹲在地毯上喝咖啡。

"我的老天!弗朱安!你俘虏了一个什么陌生的生物来?"酋

长问道。

"他可能是个苦行僧。"那黑人回答说,"看样子他很穷,也没有武器,而且身上很脏。是的,我猜他准是个苦行僧。"

伊本扎得面对着斯廷保问道:"你是谁?"

斯廷保说:"我迷路了,我饿,给我点吃的吧。"

在旁边的法德带着鄙视的口气说:"哼,又是一个异教徒,我看他像个法国人。"

托洛格说:"我看他倒更像个英国佬。"

伊本扎得想知道个究竟,就建议说:"他也许是从法国来的,你跟他说说那种鬼语言试试看,法德!你不是在阿尔及利亚的军队里待过吗?"

法德于是用法语问他:"你是谁,陌生人?"

斯廷保回答说:"我是一个美国人。"他很高兴终于找到了能和这些阿拉伯人交流的语言了。他继续说:"我在丛林里迷路了,现在我很饿。"

等他说完,法德翻译道:"他从美洲新大陆来,他迷路了,他说他现在饿得很。"

伊本扎得指了指他带来的食物,那个美国人欣然奔过去,狼吞虎咽地吃起来。他一边吃,一边继续和法德谈话。斯廷保说,他们自己的人抛弃了他,如果能把他送到海岸,他愿意付高额的报酬。但是,贝都因人的酋长,对于和这个老家伙纠缠下去没有多大兴趣,他认为最好的办法是在脖子上给他一刀,干脆了结了他算了。但是法德并不同意这样干,他被斯廷保吹嘘的财富所动,觉得留下这个一身污垢的白胡子家伙,说不定真能得到一大笔回报。他说服酋长,让斯廷保在他们中间,至少留上一段时间再说,并答应他送他回自己的部族中去,在他留在这儿的时间里,保证对他的安全负责。

后来法德对斯廷保说:"伊本扎得原本是要杀死你的,是我劝住他,救了你一条命,你记住这一点吧!将来你一定要兑现你答应给我的报酬。还有一点你不要忘了,伊本扎得可是随时都想要你的命的,实际上,你的命是掌握在我的手中,我劝你要权衡得失,好好地想一想。"

斯廷保故意迟疑了一下,然后肯定地回答说:"放心,我会让你发财的。"

以后的日子里,法德和斯廷保变得越来越熟悉了,可是随着体力和安全感的恢复,斯廷保那种得意忘形的老毛病又犯了,他用他拥有的巨大的财富,和身家的重要性,来诱导这个年轻的贝都因人。他的花言巧语使法德相信,自己很快就会富起来,不但能生活得很安逸,而且还会拥有足够的权势。随着贪心和野心的萌发,同时在法德心里也滋生着一种担心,那就是伊本扎得有夺去他幸运的可能,因此,他就利用和斯廷保的接近,经常往他耳朵里吹风,说伊本扎得随时会杀死异教徒,以此来恐吓斯廷保,并离间他和伊本扎得的关系,尽管事实上伊本扎得很少关心有关斯廷保的一切,甚至他有时几乎忘了有这么个异教徒的存在。

有一件事,是法德做得很成功的,那就是让斯廷保知道,在贝都因人中存在着帮派分歧,并且随时有可能发生叛乱,因此,使得斯廷保只有充分利用他们之间的关系来保护自己。

尽管这支贝都因人的队伍行进得并不快,但他们也日渐接近传说中的尼玛城了。当他们在行进途中,赞得努力在找机会去获得伊本扎得的女儿——阿蒂亚的青睐。与此同时,托洛格也在酋长面前,不断地说法德的好话,希望拉近法德和自己的关系,帮助自己谋取权力。同时,托洛格在老酋长面前说的这些吹嘘奉承法德的话,又总有意让法德听到。以便向他表明,只要自己能当上酋长,老酋长的女儿阿蒂亚会嫁给法德,是没有问题的。

但是法德并不满足于托洛格这种按部就班的安排。嫉妒使得他心神不宁,以至于他一看到赞得,就想如何把他除掉。他整天在琢磨该怎么办,以至于到了鬼迷心窍的程度。他常常暗暗跟踪赞得和阿蒂亚。最后,他终于想出了一个计划。紧接着,机会也居然来了。

法德注意到,每当晚上,人们都聚集到酋长帐篷中来的时候,赞得就不知道溜到哪里去了。而往往与此同时,阿蒂亚做完了简单的家务之后,也会从帐篷中溜出去。这个现象,法德已经注意了很久了。他心里当然明白,这两个人是到外面幽会去了。

不久的一天晚上,法德也没有参加酋长的晚间聚会,他偷偷地隐藏在赞得的帐篷附近。看到赞得出去幽会时,法德悄悄地钻进了情敌的帐篷。他摸索着找到了赞得的火枪,检查了一下,知道这支枪已经装满了铁砂子,现在,他只需装足了火药就可以使用了。然后,他带着枪偷偷地爬出去,悄悄地跟到赞得等待阿蒂亚的地方,无声无息地躲藏在赞得身后的黑暗中。

在不远的地方,伊本扎得和他的朋友们,围坐在帐篷中的地毯上,而帐篷的门是敞开着的。帐篷的上方,吊着一盏不甚明亮的纸灯笼。帐外的法德和赞得,都能望见帐篷里的人。这时,阿蒂亚还在妇女活动区里忙碌着什么。

法德躲在赞得的身后，举起了手中的火枪，把枪柄抵在肩上，非常小心地瞄准着。他狡猾得像狐狸一样，瞄准的目标并不是赞得，因为他非常清楚，如果赞得被谋杀，那么，阿蒂亚毫无疑问会相信凶手是法德。法德心里十分明白，在这个计划里，他不能棋错一着。

赞得就在法德眼前，在赞得前方的就是伊本扎得了。但是法德的枪并没有瞄准赞得，也没有瞄准伊本扎得，那么他究竟瞄准谁呢？法德心里有数，现在谋杀酋长的时机，还远没有成熟。首先，他必须先弄到财宝，而法德知道，关于财宝的秘密，只有酋长一个人掌握着。

法德瞄准的，只是帐篷里的一根柱子，他瞄得很准，然后扳动了枪机。柱子的碎片，就在距伊本扎得头上一尺高的地方崩落下来。与此同时，法德丢开火枪，跳起来大喝一声，向冷不防被吓了一跳的赞得扑去，并且大声呼救。

听到枪声和呼喊声的人们，一时从四面八方跑来，连酋长伊本扎得也来了。这时他正看见赞得被法德从后面紧紧地抱住。

伊本扎得问道："这到底是怎么回事？"

法德大声喊着说："老天，伊本扎得酋长，你还问呢，刚才要不是我手疾眼快，他差一点杀死你！当他开枪的时候，我正好来到他跟前，一看情况不好，赶紧扑到他背上，他才没打准。不然，他早把你杀了！"

这时赞得也大喊起来："他撒谎！枪声是从我背后来的，如果说有什么人要杀害伊本扎得，那一定就是法德这个家伙！"

阿蒂亚睁大了眼睛，跑到她心爱的人赞得身边说："你不会干这种事！赞得！告诉我，你是不会干这种事的，是吧？"

"我以穆罕默德先知的名义起誓，这事决不是我做的！"赞得发誓说。

伊本扎得也沉静地说："我也不认为他会干这种事。"

法德很有心计，他没有提火枪的事，因为火枪如果由别人来发现，那么，他陷害赞得的诡计，成功的可能性就会更大。而且他敢肯定，火枪一定会被人发现的，因为他就把它扔在附近了。果然，火枪最后被托洛格发现了。

托洛格马上喊起来："嘿！这里还扔着一件武器呢！"

伊本扎得说："拿到亮处来，咱们检查一下！这个物证会解开咱们的疑虑，它比任何花言巧语都有用，会给我们一个肯定的证明。"

当一群人向酋长的帐篷走去时，赞得心里很坦然，像一个囚犯将被证明无罪一样轻松，因为他知道那支火枪会使他免遭指控，那枪绝不会是他的，这就足以洗清他的冤屈了。因此他在途中捏了一把走在他身边的阿蒂亚，示意让她放心。

大家走到帐篷里的灯光下，酋长伊本扎得把枪举到眼前，周围的人也围了过来。只需一眼就能看出这枪是谁的，酋长脸色阴沉地抬起头来说："这是赞得的。"

阿蒂亚倒吸了一口冷气，身不由己地离开了她的爱人。

赞得大声地喊起来："我没有干这事，这是阴谋陷害！"

伊本扎得大声吩咐道："把他拉走！注意！把他给我绑起来！"

阿蒂亚冲到父亲面前，跪下来哀求道："爸爸！不要杀死他！

绝不可能是他干的,我知道不是他!"

酋长严厉地命令道:"闭嘴!女儿,回到你的帐篷里去,留在那里不要再出来!"

大家按酋长的吩咐,把赞得牢牢地绑在他自己的帐篷里。而这时在酋长的帐篷里,伊本扎得正和几位长者商定如何处置赞得。

这时的法德,摆出一副谄媚的、冰冷的微笑。而赞得却在他自己的帐篷里,被绑得紧紧的。尽管他听不到那些人在如何商定对他的宣判,但他已预感到自己未来的命运,是不大美妙的。

在酋长的后帐里,伊本扎得的女儿在痛心地思索着,她根本无法入睡。她的长睫毛上沾满了泪水,不过,她只能不出声地哭泣。她尽量睁大了眼睛等待着,注意地倾听着外面的动静。最后,她终于等到了她所希望的时刻。她听到酋长和他的妻子海尔法,发出了均匀的鼾声。

阿蒂亚轻轻地爬起来,偷偷地拉起了她睡席旁的帐篷底边,悄无声息地滚到了现在已空无一人的前帐,她暗中摸到被酋长丢在那里的赞得的火枪,并且抓起了一包食物,这还是今天傍晚她趁海尔法不注意,偷偷藏起来的,然后轻轻逃出了帐篷。

阿蒂亚离开了她父亲的大帐以后,在营地里排列得不规则的帐篷之间,小心地爬行着。最后,她终于找到了赞得所在的帐篷。她小心翼翼地在帐篷的入口处停留了几分钟,听了一下,周围没有声音,才轻轻地走了进去。这时候,赞得并没有睡着,他拼命想挣脱捆绑他的绳索。他忽然听到了脚步声,不由得问道:"来的是谁?"

"嘘！"阿蒂亚发出了警告声，然后急促地低声说，"别出声！是我，阿蒂亚。"当她爬到他身边时，赞得激动地低声说："亲爱的！"

阿蒂亚敏捷地割断了捆绑赞得手腕和脚踝的绳索，对她的爱人说："我给你拿来了枪和一些食物，现在你自由了，剩下的事，就得由你自己去做了。我看，你不能再和这里的人待在一起了，最好走得远远的，但是路上免不了会有危险的，你尽可能用这支枪保护自己吧！阿蒂亚会为你日夜祷告，乞求安拉保佑你。快走吧！别让他们发现了，我最亲爱的人！"

赞得紧紧地把她搂在胸前，吻了她，转身向远处的黑暗里逃去。

九
查理爵士

保罗·鲍得金领着布莱克沿一条甬道一直向前走去,这条甬道不断向上,在他们面前一再出现一段一段转折的阶梯,在布莱克眼中,这条路似乎看不到尽头。尽管布莱克现在怀着好奇心,但是,一种无聊和单调感,还是不由得在他心里生出。有时,在阶梯的转折处,那幽暗的火把照不到的地方,布莱克简直觉得自己好像忽然落入辛梅里安人(古希腊传说中永远生活在幽冥中的人)的国度里一样。前面,依然是那些永远走不完的甬道和单调的墙壁。

不过,像世间其他事物总会有一个终结一样,甬道也有了一个尽头。布莱克终于在不知来自何处的阳光照射下,瞥见了甬道的尽头。现在,他几步迈上了一块宽阔的洼地,这里绿树成荫,风景秀丽。他发现自己正站在一座离山脚百多英尺高的山崖上,甬道到这里就没有了。他的右面不远处,就是一段峭壁。当他向左面望去的时候,不禁大吃一惊地睁大了眼睛。

原来,在左面突出的岩石上,竖立着一段砖砌的高墙,在墙的两侧,各有一座高耸的尖塔,塔的外墙上,有一排排的射击孔。在高墙的中间,有一道高而宽的吊闸门。布莱克看到,在门的两侧,各站着一个黑人守卫,那两个守卫的服装,几乎和领他上来的那个人一样,所不同的只是守卫各抱着一根长战斧,斧柄拄在地上。

保罗·鲍得金大声喊道:"嗨,把门的,请把大门打开,我是外门的守卫,带着一个俘虏来了。"

吊闸门缓缓地提了上去,布莱克和押送他的人从下面走了进去。在大门左侧有一间房子,显然是给守卫们用的。屋子前面约有二十个卫士,服装大体和保罗类似。布莱克注意观察他们,见他们衣服的胸前,都点缀着一个大红十字。在一排栅栏的后面,还拴着一排马匹,这些马打扮得真漂亮,都披着色彩鲜丽的马衣。它们这种考究的打扮,让布莱克想起曾在画像上见过的英国中世纪武士的战马。

这些黑人奇特的穿着,建在路中间的碉堡,以及这些战马的披挂,都使布莱克觉得他仿佛进入了另一个世界。正在这时,警卫室的一扇门打开了,从里面走出了一个俊俏的青年。他穿着一身铠甲,外面披着一件紫色的粗呢子披风,头戴一顶豹皮盔,头盔的下沿,连着一圈护喉甲胄。他身边佩着一柄长刀,腰前还插着一只短匕首。除他身上的武器之外,很引人注目的是,在警卫室门旁的墙边,还竖着一支长矛,矛旁还有一个盾牌,在盾牌的凸面上,也装饰着一个红十字。

这个年轻人对布莱克上下打量了一下,大声说:"啊!上帝!这个外来人是从哪里来的?"

保罗毕恭毕敬地答道:"是我们俘虏来的,长官阁下!"

年轻人说:"我看是个撒拉逊人,肯定是!"

保罗回答说:"不!我大胆地说,查理长官!我想他决不是一个撒拉逊人。"

"为什么?"

"我亲眼看到他对十字架行礼。"

"那么,把他带过来。"

保罗用他武器的尖头,顶着布莱克的后腰,指示他向前走去。这位美国人,对他们表示出的敌意倒是满不在乎,因为从他们的谈话中,他已经听明白了一些情况。此时,他只是鞠躬如仪,显出一副恭谨的样子。

布莱克快步向前走去,停在那个年轻人面前,嘴角上稍稍挂着点不在意的微笑。那年轻人却摆开一副高傲的样子说:"你从哪儿来?为什么到我们神圣的墓地来?说吧,你这个俘虏。"

布莱克的微笑一下子从嘴角上消失了,说:"不要开玩笑了,你能告诉我你们的主管在什么地方吗?"

"什么是'主管'?我实在不明白你的意思!"年轻人重复着布莱克的这个词。

布莱克说:"也许你不懂。让我告诉你,我过去的一天里所遭受的意外打击,可以说没有什么人遇到过,我必须跟你们的主管说一说。"

那年轻人说:"天哪!我可不完全懂你的意思,我也不喜欢你说的这种语言①)。你的语言让我听起来有些刺耳。我可是一个高贵的尼玛武士。"

---

① 那年轻人说的多是英语古音,而布莱克的话是美国口音。

"主管就是主管,我不知道为什么你连这个词也听不懂。"布莱克摇着头感到十分失望。他转头看着正听他们谈话的几个士兵,以为他们当中,或许会有人透露出他们装作听不懂只不过是跟他开玩笑。但是他看到的,却是一个个十分严肃的面孔。最后,他不得不向保罗·鲍得金问道:"难道你们就没有人知道主管在哪儿吗?"

鲍得金摇着头回答说:"主管?在尼玛,没有你说的这种东西。甚至在整个墓地峡谷,据我所知,也没有。"

布莱克说:"对不起!可能是我错了。这里即使没有主管,也总该有个守门人之类的人吧?我能见见他吗?"

鲍得金大声说:"哦!你说的原来是守门人啊!"他脸上显出恍然大悟的样子,"查理爵士就是守门人啊!"

布莱克叫道:"我的天!"他转身对那年轻人说,"请您原谅我,我以为你和他们是一样的伙伴呢!"

"伙伴?你确实在说着一种什么地方的陌生方言,不过它听起来,还是像英文的味道。"年轻人回答说,"你这个俘虏说得还不错,这些日子,我确实是大门的看守人。"

布莱克开始怀疑自己的神智和判断是否正常。但从这位白人和那些黑人的面部表情来看,都没有什么不正常的样子。于是他对这位自称守门人的说:"对不起,我真像个什么也不懂的粗人。"他边说边露出一种坦诚的微笑,"但是这几天,我的精神确实处于极度的紧张中,而且恰巧在这最紧张的时候,我在丛林里迷了路。因此,已经有好几天我都处于忍饥挨饿之中。刚才,我还以为您是在跟我开什么玩笑呢!说真的,我现在可不是能和谁开什么玩笑的时候,我现在特别需要的是友情和帮助。"

他看那年轻人还不说话,就继续问道:"您能告诉我这是什么地方吗?"

那守门的年轻人回答说:"你现在正在尼玛城附近。"

布莱克猜测着说:"我觉得现在也许正是你们民族的节日,是吗?"

那年轻人说:"我不明白你的意思。"

"不是这样吗?如果不是什么节日,你们为什么穿得这样隆重?"

"老天,鲍得金,这家伙说的是什么语言?什么叫'隆重'?"

"是的,我说的是你们这全套服装,为什么要穿得这样整整齐齐?"

"这有什么不对的地方吗?我们的衣服并不完全新了,我想,总比你穿得要漂亮一点,至少,他符合一个武士日常穿的服装,不是吗?"

布莱克惊讶地问:"你是说,你每天都是这样穿着的吗?"

年轻人回答说:"为什么不呢?我们总是这样的,我没有必要和你多费口舌。"接着他对周围的黑人说,"你们来两个人把他带进来!你,鲍得金,还回到大门那里去。"年轻人说完这些话后,就转身回到大门边的房子里去了。接着,有两个士兵,推推搡搡地把布莱克也架到屋子里去了。

这时布莱克看到了屋子里面的情况,这间屋子房顶很高,四面墙壁都是用花岗岩砌成的,屋顶上面的梁、椽,都是人工用木料做成的,已经显出了年陈月久的痕迹。地上摆放着一张桌子,桌子后面有一把椅子。年轻人进屋以后就坐在椅子上,让布莱克站在桌子前面,在布莱克两旁,各站了一个士兵。

"名字?"那年轻人问道。

"布莱克。"

"全名?只是布莱克吗?"

"詹姆斯·亨特·布莱克。"

"你在你们国家有什么头衔吗?"

"我没有什么头衔。"

"那么你不是一位绅士了?"

"人家一般都这样称呼我。"

"你是哪个国家的?"

"美国。"

"美国?没听说过世上有这么个国家,你这家伙不是骗人吗?"

"怎么没有?"

"我从来没听说过有这么个国家。那么,你为什么要走到我们神圣墓地里来?你知不知道这是被禁止的?"

"我说过我迷路了,我不知道自己这是在哪里。我唯一的愿望就是找到我的探险队,或者回到海岸去。"

"这是不可能的。我们被撒拉逊人包围着,已经有735年了,我们长年受到他们军队的包围。你是怎么穿过他们军队的防线的?你根本没有可能突破他们的重围。"

"我并没遇到什么军队啊!"

"嗨!你胆敢对我查理·蒙特默伦西说谎?你这个俘虏!如果

你是高贵血统的人,你一定会对我说,有人要来攻击我们这块神圣的土地。我想你很可能是出身低微血统的奸细,由撒拉逊人的苏丹派来的。我看你最好是对我说实话,否则我送你到亲王那里去,他一定有办法从你嘴里掏出实话来。不过,到那里再说,可就没有在我这里坦白那么轻松了。你到底愿意在哪里说?"

"真的,我实在没有什么可坦白的,把我带到亲王那里去吧!或者把我送到你的什么上级那里都成,我认为,他们起码会给我点什么吃的。"

"你在这里就可以得到食物。我不会让别人说查理把一个饥饿的人推到别处去。喂,米歇尔,米歇尔!这个懒孩子又跑到哪儿去了?米歇尔!"

屋子的一扇门开了,走进来一个孩子,睡眼惺忪,还在用一只肮脏的拳头擦着眼睛。他穿着一件古罗马人那种半截的长达膝盖的上衣,下面穿一条绿色的裹在腿上的长裤,在他的帽子上,插着一根羽毛。

查理一看孩子这副样子,就问他说:"又睡了,嗯?你这个小懒鬼!去拿点面包和肉来,给这个可怜的迷路者。听我说,可别又一去不回,等到明天才拿来!"

这孩子睁大了眼睛看着布莱克,有点傻乎乎地问道:"给这个撒拉逊人吗?大人!"

查理打断他说:"少废话!我主耶稣不是什么人都给东西吃吗?从来不管他信什么教不是吗?快去!这个人已经饿极了!"

那孩子转身走了,临出门还用袖子擦了一下鼻子。查理又把他的注意力转向了布莱克。

"你没有病吧？可惜你不是贵族血统的人,但是你的仪表却不像一个血统低贱的人。"

"我从来没有想过我是个什么低贱的血统。"布莱克笑了起来。

"那么你的父亲——是不是起码也该是一位武士？"

布莱克很快地省悟过来,他应该很快地适应他这位东道主陈旧而古老的习惯和语言。而且他可以肯定,他眼前的这个人,是在热切地盼望着,他能给他一个肯定的回答。因此,他决定不妨迎合对方一下。

"是的,当然。"他回答道,"我父亲是三十二级共济会员,而且是一位圣殿骑士。"

"很好,我知道了。"查理大声说。

"我很高兴你明白了这一点。"布莱克附和着说。他知道这么一说,会产生愉快的效果。

果然,查理高兴地说:"啊,我明白了。你终于说清楚了,你是高贵血统,可是,为什么你早不告诉我呢?这么说,你是一位基督武士而且是所罗门圣殿保卫者的后代喽。"

布莱克不能不感到有点迷惑,因为他们那帽子上的羽饰,豪华的服装和光彩夺目的腰刀,都显示出这是中古圣殿骑士们的装束。他不明白这些人是怎么弄到这种中古时代的服装的。

正在这时,米歇尔拿来了一木盘冷羊肉,几块精白粉制成的面包,还有一壶酒。他把这些东西放在布莱克面前的一张桌子上,然后走到橱柜前,从里面拿出两只酒杯,把壶里的酒斟到这两只杯子里。

此时查理站起来,拿起一只杯子,高举到面前说:"哈□!詹姆斯先生!欢迎你光临尼玛和圣墓峡谷!"

布莱克也回答说:"很高兴见到阁下!"

"你的话讲得很优雅,布莱克先生!"查理回答说,"我想,英国的说话方式,恐怕自从狮心王(英王查理一世)带着我们的祖先开始伟大的十字军东征以来,已经有了很大的改变。来,为你干杯!遇到你,真使我终生难忘。"查理说这话时,显得十分兴奋。

查理继续说:"米歇尔,你先别走,给詹姆斯先生拿个凳子来。请用餐吧,詹姆斯先生,您必须先解决饥饿问题。"

布莱克也兴奋地说道:"我会告诉您我们那个世界是什么样子的。"这里没有叉子和刀子,布莱克不得不灵活地用起他的手来,抓起他面前的食物,大嚼起来。查理在桌子对面,微笑着看着他狼吞虎咽的样子,看了一会儿说:"你比一个浪游的歌者给我带来的愉快更大。我要向世界宣布,我有多么愉快,你真像是上天送给我们城堡的一份珍贵礼物。"

布莱克酒足饭饱之后,查理吩咐米歇尔备马。"我们骑马到城堡去吧,詹姆斯先生!"他解释说,"现在,你不再是我的俘虏了,而是我们的朋友和客人。我曾经很不礼貌地接待过你,这将使我永感羞愧。"于是他们两人,各骑了一匹骏马向前跑去。米歇尔也骑着一匹马跟在后面,与他们保持着一段距离,以表示恭敬。

他们顺着弯曲的山道纵马下山,查理带着他的盾牌和长矛,在矛尖上插着一面三角旗,迎风飘扬,阳光在他们的锁子甲上闪烁出耀眼的光芒。查理对不久之前还被他视为俘虏的布莱克喋喋不休说着什么，脸上露出了灿烂的微笑。对布莱克来说，查理真像是从一本古老的故事书的插图里走出来的一个人物。但是当他滔滔不绝的时候，在他尚武精神的外貌下，却又掩饰不住一种天真的孩子气。他的面部表情里，充满着对布莱克的喜爱，他坚信像布莱克这样一个人，是不可能做出欺骗他的恶行来的。

查理对布莱克所叙述的事情，都表示深信不疑。查理英俊秀美的外貌，使人感到他应该聪慧过人，而这与他的轻信似乎有点不相协调。布莱克的结论是，查理天性质朴诚实，但同时不谙世事。正因为如此，布莱克相信他不会干出什么背信弃义的事来。

当道路转过山腰时，布莱克看到道路的前面又出现了另一座碉堡，紧接着，尖塔、城垛，一座城堡展现在眼前。在查理的命令下，城堡的守卫把大门打开，他们三人陆续骑马走了进去。之后映入眼帘的，是一片广阔的内城和外墙之间的园地，这地方杂草丛生。其间也有几棵老树，在一棵靠近大门的大树下，有几个武装士兵模样的人，在那儿走来走去，另外有两个人，在玩一种类似跳棋的游戏。

布莱克又看到，内城之外，有一条宽宽的护城河，清澈的河水倒映出古老的灰色城墙，及城墙上的藤蔓植物。有些已经从墙内一直爬上墙顶，甚至翻垂到墙外去了。

对着碉堡大门的，是一条笔直的大道，从大门里一直向前伸去。在前面，有一座吊桥横跨在护城河上，它现在正竖起在河上，挡住了走近城堡大院的道路，甚至连视线也被它挡住了。查理吩咐了一句，吊桥立即吱吱作响地放了下来，他们三人从桥上走了过去。

走过了吊桥,布莱克可有些目眩了,出现在他面前的是一座用石块垒起来的巨大城堡。在城堡的左右两侧,有修饰得很好的草坪和花坛。在那里聚集着一些男男女女,他们好像刚从亚瑟王宫里走出来的贵族和贵夫人一样。

当他们看到布莱克时,都露出了惊讶和好奇的神情。查理和布莱克在这儿下了马,并把马匹交给了米歇尔。那群人中有几个人走上前来,和查理打招呼,并向他发出询问。

有一个人大声问道:"咳,查理!你领来了一个什么人?是撒拉逊人吗?"

查理回答说:"不,他不是撒拉逊人,是一位诚实的武士先生。他要问候亲王,亲王现在在哪里?"

"在远处,那儿,看见了吗?"他们指着院子的另一端,有许多人聚集的地方说。

于是查理招呼布莱克:"走吧,詹姆斯先生!"他边说边领着布莱克走过大院,刚才那几位武士还有一些妇女也都跟在他们身后,不断地对布莱克评头论足,毫不掩饰自己的观点,似乎并不觉得这样做是不礼貌的,弄得布莱克很不好意思。妇女们大多公开赞赏他的外貌和风度,而男人们却完全不同,也许是出于嫉妒,几乎没有人说什么赞美的话,对他撕破了的而且沾满了灰尘的衣服颇多微词,而且还议论他服装式样的可笑。的确,布莱克的衣服,和这群人豪华的、质地优良的服装相比,反差非常强烈。光说他们戴的帽子,花样就够繁多的了,妇女们的服装,也像男士们一样豪华。她们的外衣都制作合身,衣料质地良好,头巾和披巾大都是绣花的。布莱克穿的却是单调一色的衬衣,下身是有些旧了的长裤,靴子虽然是科尔瓦多高级皮革制作的,但现在却沾满了泥土,有的地方还被灌木枝弄破和划伤。

在花园和集市的男士中,布莱克从未看到一个穿盔甲的武士,但是在大门外,却全是披挂整齐的武士。布莱克判断,只有进行战争时,这些人才会穿戴起沉重的令人不舒服的盔甲来。

当他们走到花园的最里面,人们聚集的地方时,查理带着布莱克挤进人群,走进这群人的中心。布莱克看见那里站着一个身材高大,仪表堂堂的人,这个人正和周围的人在谈话。当查理和布莱克走到他面前时,周围的人都安静下来,看着他们。

查理向那个人鞠躬说:"我的亲王阁下,我带来了一位詹姆斯先生,一位值得尊敬的圣殿武士,他在我主上帝的保护下,穿过了敌人的阵线,来到了尼玛的大门。"

这位高个子的亲王,把布莱克上下打量了一下,并没有露出轻信的样子来。

"我说,你是从所罗门王的圣殿来的吗?还是从耶路撒冷来的?"

"查理爵士肯定是误解了我的意思。"布莱克回答说。

"这么说,你不是圣殿的骑士啦?"

"我是,但我不是从耶路撒冷来的。"

"或许他是守护圣地,保卫朝圣者的勇猛武士吧?"站在亲王身边的一位年轻的姑娘提醒。

布莱克很快地看了一眼那位说话的姑娘,当他们四目相对时,那女子马上垂下了眼睛,但是布莱克已经看出,这是他从来也没有见过的美丽的眼睛,同时布莱克还注意到,她的面庞也同样美丽。

"我看他更像是苏丹派来的撒拉逊奸细。"站在那位女子身边的一个脸色阴沉的人插进来说。

这时,刚才说话的那位女子又开口了:"他看起来绝不像一个撒拉逊人,我的父亲。"

"你知道撒拉逊人是什么样子吗,我的孩子?"亲王问道,"你看见过多少撒拉逊人?"周围的人都笑起来。

那姑娘不高兴地撅起嘴来说:"确实,我没有马路德先生见过的撒拉逊人多,我的亲王阁下!那么,不如就请马路德先生描述一下撒拉逊人的样子吧!"姑娘说这些话时,神情显得很高傲。

那个脸色阴沉的人,这时脸都气红了,说:"起码,我的亲王阁下!如果这里有一位英国武士的话,我一定会一眼就认出来。如果面前这位也能算英国武士,那么,我马路德就只好算一个撒拉逊人了。"

"够了,不要争了!"亲王不高兴地说,然后转身问布莱克说,"既然你不是从耶路撒冷来的,那么,你是从哪里来的呢?"

"纽约。"美国人回答说。

"哈!"马路德小声对姑娘得意地招呼说,"我对你说什么来着?"

"那么,你能告诉我纽约人应该是什么样子吗?纽约在什么地方?"她反唇相讥地问道。

"纽约是某些异教徒的要塞。"马路德毫无根据又非常肯定地说。

"纽约?"亲王重复道,"那么纽约是在圣地吗?"

"有时，它也被称作新耶路撒冷。"布莱克解释说。

"那么，你到尼玛来，一定要通过敌人的防线了？请你告诉我，武士先生，敌人有多少武装人员？他们是怎样布防的？他们离圣墓峡谷很近吗？你以为，他们会很快发动一场进攻吗？快，请你把这些都告诉我，你就为我立了一大功了。"

"我走了许多天，都是穿行在丛林里，没有见过一个生人。"布莱克说，"根本没有什么敌人在包围着你们。"

"你说什么？"亲王大声说。

"我跟你说什么来着？"马路德说，"我敢断定他是敌人的奸细。他想要让我们相信，我们是安全的，然后打我们一个措手不及，接着占领尼玛和峡谷。"

"我的老天！我想你或许是对的，马路德先生！"亲王大声说，"怎么会没有敌人？如果这里没有异教徒帮伙包围着我们的话，那么，为什么我们尼玛的武士们，待在这里已经有七个半世纪了？"

"这我可不知道，我怎么会知道呢？"布莱克无可奈何地说。

"啊？你说什么？"亲王问道。

"他虽然说着一口很特别的语言，我的亲王阁下，"查理解释说，"但我不认为他会是个敌人，我敢为他担保。而且，您肯定能得到他的忠诚，我的亲王阁下！"

"你真愿意为我服务吗？先生！"亲王向布莱克问道。

布莱克看了看马路德一眼，犹疑半晌，接着他看到了那个姑娘，十分肯定地说："我向全世界宣布，我愿意！"

十
乌拉拉还乡

努玛现在已经饥饿得很了,虽然这三天三夜它都不断地捕食,可是猎物总是从它的追逐下逃脱。它已经老了,视力和嗅觉都不如以前那么灵敏了,攻击也不再那样神速,甚至每当它跳起来,也都不是最适当的时机。努玛捕食通常是迅速的,但是时机一定要掌握准确,往往在几分之一秒,仅仅一发之差,得到的结果要么是一顿饱餐,要么就是挨饿。

尽管眼前这头努玛已经很老了,但在兽群中,它仍不失为一个有力而且极具破坏能量的生物。现在,饥饿的折磨,使它的残暴和贪婪成倍地增加着,同时也磨炼了它的机敏,鼓励它去从事更大的冒险,以便填饱肚皮。它现在已经变得更加紧张易怒起来。它凶恶地伏在林间小路边,它那竖起的小耳朵、充满欲望的近似燃烧着的眼睛、翕动着的鼻翼和那轻轻摇动的尾巴梢,都证明它正在等待一次临近的机会。

从下风头,努玛已经闻到了人的气味。上一顿饱餐是在四天前,如果那时它闻到这种气味,它也许会悄悄溜掉,但现在却大不相同了,饥饿像火一样在燃烧着。

赞得逃出伊本扎得酋长的营地,已经三天了。他思念着阿蒂亚，同时也庆幸自己能逃脱死亡的命运。他骑的那头母马，沿着丛林小路向前走着。他无需催促它快走，因为他暂时还没有一个明确的目标，未来的路还长着呢。当然他并不知道，在前方有一只凶猛的食肉动物，正埋伏在草丛里。

努玛不仅用耳朵谛听，也用鼻子嗅着，它感到人的气味临近了，但是它并不知道就在附近，还有一个另外的"动物"正在注意着它。正在小路上走着的母马一定会从距离努玛不到一码的地方经过，但是努玛现在已经没有耐心了，它唯恐到口的食物又逃脱掉，便在一个很不合时宜的时候提早跳了出来，大吼一声。被吓坏了的母马，立刻直立起来，前蹄腾空。接着迅速转身，向后逃窜。就在这一瞬间，赞得猛然间失去平衡，向后倒去，从马背上摔到了地上。那匹马却沿着来路飞奔回去，把它的主人留给了正扑过来的努玛。

被恐怖笼罩着的赞得，这时正面对着一头张牙舞爪的努玛，它几乎就要扑到他了，说时迟那时快，几乎同时，他看到了一个差不多与狮子同样令人恐怖的，皮肤晒成黄褐色的大汉，正抓住下垂的树枝，悠悠荡荡地飘然而下，正好落在狮子的背上。他看见这个大汉用一只手臂搂住狮子的脖子，用自己的全身重量把狮子压翻在地。那大汉另一只手里还拿着一把锋利的长匕首，它雪亮的锋刃在阳光下发出耀眼的光芒。那大汉举起匕首，对准狮子的胸膛，狠狠地刺了进去。这时的狮子拼命要把身上的大汉甩开，但是无论如何都达不到目的，反而被那挥舞着的匕首，一下、一下、再一下地刺进它的胸膛。这时，咆哮声，吼叫声，混成一片，分不出是发自人的还是发自兽的，赞得听得浑身发冷，不停地打战。尤其当他发现，有些吼叫声竟是从那大汉口中发出来的，他更害怕了。

最后那狮子的身体终于无力地软下来了，腿蹬了几下，一动不动地躺在地上死去了。这时，那大汉站了起来，一只脚踏在狮子的尸体上，昂起头来，发出一声令人毛骨悚然的长啸。这一声长啸让贝都因人吓得冷透了骨髓，这种可怖的号叫，可以说没有什么人能有幸听到，这是一只公猿战胜敌手时，发出的胜利的长啸。

就在这时，赞得才认出来，眼前这位救了他性命的大汉，就是曾经让他们贝都因人见了就吓得发抖的人猿泰山。

这时泰山也认出了他，问道："你不是来自伊本扎得营地的人吗？"

赞得回答说："我只是个可怜的人，现在只能听从命运的安排了，连我自己也不知道要到哪里去。我如今正走投无路，请你饶了我这条命吧！安拉会保佑你。"

泰山回答说："我无意要伤害你，贝都因人！我知道，在我丛林里捣乱的，只有一个伊本扎得。这是他的过错，与别人无关。你告诉我，他现在在附近吗？"

"当然不，他大约离这里有几天的路。"

"你的同伴在哪里？"人猿泰山追问道。

"我没有什么同伴。"

"那么说你是孤身一人？"

"对，是这样，一点儿也不错。"

泰山不由得皱起眉来："在泰山面前可不能随便说谎！"

"凭安拉的名义起誓,我没有说谎,我确实是孤身一人。"

"那为什么?"

"法德用阴谋诡计来陷害我,做了个假象,看起来仿佛是我要杀伊本扎得。但是,安拉在上,这完全不是真的。就因为这件事,他们要杀我,但是酋长的女儿阿蒂亚对我很好,到晚上割断了绑着我的绳索,我才跑出来了。"

"你叫什么名字?"

"赞得。"

"那么你现在要到哪里去?打算回你的家乡吗?"

"是的,我现在只好回爱儿瓜得去了。"

泰山听了,警告他说:"这么远的路,恐怕你一个人去不了,你不可能抵挡得了沿途的种种危险。"

"我虽然知道有危险,可是,我若被伊本扎得抓去,必死无疑,你说,我还有什么路可走呀?"

泰山听了,想了一会儿,说:"酋长的女儿对你的爱是真诚而可贵的,看得出来,她对你也是十分信任的。"

"你说得一点不错,我和阿蒂亚之间的爱情是真挚的。她相信我决不会打算杀死她父亲的。"

泰山点点头说:"我相信你,也愿意帮助你,你不必害怕一个人走路了,我会送你到最近的村庄去。他们会指派武士送你到下一个村庄,然后一个村庄一个村庄地把你送到苏丹去。"

"安拉会保佑你的!"赞得高兴而又感激地说。

他们两人就沿着丛林的小路,向南面最近的约有两天路程的村庄走去,途中,泰山问赞得说:"告诉我,伊本扎得到这里来干什么？我估计他不会是专为象牙而来。我猜得对吗？"

"一点不错，泰山酋长！"赞得同意地说，"伊本扎得是为珠宝，不是为象牙而来的。"

"说得详细点儿。"

"在哈巴希有一座珠宝城，叫尼玛。"赞得解释说，"这是伊本扎得听一个有学问的巫师告诉他的。尼玛的珠宝和黄金，就是用一千只骆驼也驮不走它的十分之一。那里的财富，还不仅仅是黄金和珠宝，听说还有一个女人。"

"一个女人？"

"是的，一个非常美丽的女人，她所能带来的财富，是伊本扎得做梦也梦想不到的。以前你一定也听到过关于尼玛的故事吧？"

"有时，赤道非洲的加拉人也说到它，"泰山说，"但我却认为，被传说描绘得越来越神奇的地方太多了，这个地方不一定比其他传说里的地方更真实。我不明白，伊本扎得为什么把这么一次危险的长途旅行，寄托在一个巫师的信口开河上？"

"那么，还有什么能比一个有丰富知识的巫师的话更可靠的呢？"

人猿泰山听了，只好耸了耸肩。

他们在到达村庄前两天的行程中，泰山从赞得的谈话里，得知有一个白人到了伊本扎得的营地，但是，从赞得的叙述里，泰山无法判断这个白人到底是布莱克还是斯廷保。

当泰山和赞得向南行进时，伊本扎得等一群人，正跋涉在向北的直通哈巴希的路上。这一路上，法德和托洛格经常在商量、策划着他们的阴谋；而斯廷保和法德又在商量着他们的另外一套阴谋。此时,加拉黑奴弗朱安,在耐心地等待着他摆脱奴役的机会。阿蒂亚却又为赞得逃亡后的安全,而不停地祈祷和暗暗啜泣。一路上各有心事和打算。

"你是从孩提时代就生长在这块土地上的,弗朱安！那么,你对这里一定非常熟悉。"有一天阿蒂亚对这个加拉黑奴说,"你能不能告诉我,你认为赞得可不可以一个人到达爱儿瓜得？"

"恐怕不能。"黑人回答说,"因为那条路很危险,他很可能死在半路上。"

阿蒂亚听了,不由得哭泣起来。

"弗朱安是和你一样伤心的,阿蒂亚。"黑人说,"因为赞得是个心地仁慈的人,也许安拉会护佑你心爱的人,而找出真正有罪的人。"

"你这是什么意思？"阿蒂亚惊讶地问道,"弗朱安,究竟是谁向我父亲伊本扎得开枪的？难道不是赞得吗？请快告诉我那不是赞得干的。但他们都是这么说呀,但我相信赞得,他是不会想杀死我父亲的。"

"不是他！"弗朱安肯定地回答说。

"告诉我,你有什么根据知道这件事？"

"我可以告诉你,但你千万别跟别人说是我告诉你的。"黑人恳求说,"如果有人知道了我知道这件事,那么,我会遇到危险的。"

"我向安拉起誓,我不会出卖你,弗朱安！"阿蒂亚哭着说,"告诉我,你看见了什么？"

"我没有直接看到是谁向你父亲开枪的,阿蒂亚!"黑人回答说,"但是我看见了开枪以前的一些事情。"弗朱安说着,向周围看了看。

"那么,你快说吧!是怎么回事?"

"我看见法德爬进了赞得的帐篷,并拿着赞得的枪爬出来。我亲眼看见了这件事。"

"我懂了!我懂了!"阿蒂亚激动地说。

"但是伊本扎得不会相信的,如果你告诉他这些实情的话。"

"我知道。但我相信我最终会有办法为赞得报仇雪恨的。"阿蒂亚咬牙发狠地说。

有好几天的时间,伊本扎得的队伍都在绕着山走,他认为山的后面,可能就是尼玛城的所在地。他想亲自找到一个入口,而不愿求助于当地的土著。他们尽量避免与土著接触,以免引起他们的怀疑。

这里的村庄稀少而且分散,这就使得这些阿拉伯人易于避开土著。即使如此,当地的加拉人对于有这么一支队伍入侵,也不会全然不知。只是他们不愿多惹是非,伊本扎得更不愿去招惹他们。除非一种情况发生才会改变这种相安无事的状态,那就是如果没有当地黑人的帮助,伊本扎得将无法实现自己的计划。到那时,他就不得不采取两种办法了,要么假装承诺,以骗取土著的信任和帮助;要么采取粗暴而残忍的手段,强迫他们为自己服务。而他更可能采取的是后者,他觉得用这种方法达到目的会更顺手。

随着日子的慢慢过去,伊本扎得越来越不耐烦起来,因为他一直无法找到进山的入口，自然也就更无法找到那个藏有珠宝的尼玛城。

"他妈的！"有一天他终于忍不住地骂起来了，"这里一定有一座尼玛城，而且一定有一个进口。安拉保佑我们找到它！托洛格！去把我们的哈巴希人叫来，通过他们，我们一定会有办法找到一些线索的。"

托洛格奉命把队伍中的加拉人带到伊本扎得的大帐，但这些人，竟没有一个能说清楚通往尼玛城的道路和尼玛城的位置。

"那么，安拉保佑！"伊本扎得大声说，"看来，我们非得找当地的哈巴希人做向导不可了。"

"啊，哥哥！他们可都是些身强力壮的战士啊！"托洛格大声说，"那恐怕免不了要跟他们发生战斗。如果我们把他们激怒了，那会对我们很不利的。"

"我们可都是贝都因人，"伊本扎得骄傲地说，"我们装备的有火枪，他们那些简单的长矛和弓箭，难道对我们还有多大威胁吗？"

"可是他们人多，我们人少啊！"托洛格坚持己见地说。

"我们不会先和他们打起来的，除非他们逼我们。"伊本扎得说，"首先我们必须以友好的态度，取得他们的信任，然后想方设法从他们口中掏出秘密来。"

伊本扎得转身对那个黑人说："弗朱安！你是一个哈巴希人。我曾听你说过，你小的时候在你父亲的小屋里，你清楚地记得大人们谈起过关于尼玛城的故事，不是吗？现在，你到附近的当地居民当中去，和他们交朋友，告诉他们大酋长伊本扎得已经来到了这里,备得有礼物要送给他们的首领。也可以告诉他们我要去尼玛城,如果有谁能把我领到那里去,他将会得到丰厚的酬谢。"

"我恭候您的命令,一定按着您的吩咐去做。"弗朱安说。这时他内心非常激动,很久以来,在他心里始终存在着一个梦想,今天,实现梦想的机会终于来了。他装作平静的样子问道:"我什么时候动身?"

"今晚你准备好,明天天亮就可以启程。"酋长伊本扎得回答说。

就这样,加拉奴隶弗朱安第二天早晨就动身了。他从爱儿瓜得大酋长伊本扎得的大帐驻地出发,寻找他自己人的村落去了。

到了中午,他来到一条向西去的古路,非常明显,是多年来人兽践踏出来的。于是他大胆地顺着这条路走下去。他认为,与其偷偷摸摸去接近一个加拉人的村庄,倒不如大摇大摆地走去更安全些。他知道要让村子里的加拉人完全相信他,并不是很容易,尽管他自己也是加拉人,这一点,弗朱安并不傻。每个加拉人村庄之间都互相戒备,这里的人并不认识他,而且他现在穿的是阿拉伯长袍,还拿着火枪。并且经过了这么多年,他的口音也有所改变,加拉话说得并不好。所以要取得当地人的信任并不容易。

弗朱安毕竟是个勇敢的人,尽管他深知他的同胞们多疑而好战的性格,也知道他们对阿拉伯人天生的憎恶,他还是义无反顾地抓住这次机会,勇敢地向他同胞们的驻地走去。

现在,他离最近的加拉人村庄究竟有多远,他自己也一点儿都不知道。这里既没有声音,也闻不到任何气味,一点提示的标志也找不着。他又往前走了一段,忽然在他前面的小路上,出现了三个高大而强壮的加拉武士。他不用回头,也能听出来身后一定也来了同样的几个加拉人,把他夹在了中间。

弗朱安抬起了头,做了个友好的表示,同时,他还微笑了一下。

"你到加拉人的领土上来干什么?"一个武士问道。

"我正要找我父亲的屋子。"弗朱安回答说。

"你父亲的屋子不会在我们加拉人的土地上。"那个武士怒吼道,"你是那种专门到我们的土地上,来掠夺我们儿女的人!"

"不,"弗朱安说,"我也是一个加拉人。"

"如果你是一个加拉人,你应该会说很流畅的加拉话,可是我听得出来,你的加拉话说得并不地道。"

"这是因为我还是一个小孩的时候,就被他们拐走了,这么多年一直住在贝都因人那里,所以会说他们的话,我说的加拉话,自然也带上了他们的口音。"

"你叫什么名字?"

"贝都因人都叫我弗朱安,但是我的加拉名字叫乌拉拉。"

"你们认为他说的是真话吗?"其中一个黑人向他们的同伴问道,"不过小时候,听说过我有一个哥哥,他的名字就叫乌拉拉。"

"那么他现在在哪里?"另外一个武士问道。

"我不知道,可能被幸巴(加拉语,狮子)吃掉了,也可能是沙漠里的人把他弄走了,谁知道呢?"

"也许他说的是真话。"第二个说话的武士说,"说不定他就是你哥哥。问一下他父亲的名字。"

"那么,你父亲的名字是什么?"头一个发问的武士问道。

"纳林尼。"弗朱安回答说。

听了这个回答,加拉人群中起了一阵骚动,他们开始小声交谈起来。过了一小会儿,头一个发问的那个加拉人又对弗朱安问道:"你有一个兄弟吗?"

"是的。"弗朱安回答。

"他叫什么名字?"

"塔宝。"弗朱安脱口而出地回答道。

问话的那个武士一下子就跳了起来,大声叫道:"他是乌拉拉!他是我哥哥!我就是塔宝,乌拉拉,你还记得我吗?"

"你是塔宝吗?要不是你自己说,我可认不出你来了。他们把我拐走的时候,我还是个孩子。可你现在却长成个武士了。快告诉我,我们的父母在哪儿?他们还活着吗?他们身体还好吗?"

"他们都活着,也还健康。"塔宝回答说,"今天他们都在村长那里,因为这里正开一个大会,就是为了讨论沙漠人已经出现在我们这里了,我们该怎么办的问题。你是跟那些沙漠人一块儿来的吗?"

"是的,我是他们的一个奴隶,供他们差遣使用。"接着他又问道,"村长的村子离这里远吗?我要见我的父母。我还要向村长报告关于那些沙漠人的情况。"

"来吧!哥哥!"塔宝大声说,"我们离村长的村子不太远。我真高兴,我们又能看到你了,这么多年来,一直没有你的消息,我们都以为你早死了呢!爸妈见到你,一定会喜出望外的。"

过了一会儿,塔宝又说:"可是,你必须告诉我,那些沙漠人是不是派你来和我们作对的?你毕竟和他们在一起生活了那么多年,也许,你在他们那里已经有了妻子?你能肯定地回答我,你不爱他们,而真心爱你多年不曾谋面的本族人吗?"

"我发誓,我不爱那些贝都因人。"弗朱安回答说,"我也没在他们那里找老婆。我心里经常想着的就是,怎么样才能回到自己的家乡,回到我父母的住地,我当然爱我们自己的人。塔宝,从今以后,我决不愿再离开你们了。"

"那些沙漠人对你很不好吗?他们对你残酷吗?"塔宝问道。

"不,应该说他们对我还算不错,"弗朱安回答说,"若凭良心说,我并不恨他们,但是,我也不喜欢他们。认真说起来,他们和我们不是一个血统,我在他们中间,说到底还是个奴隶。"

当这一伙人沿着这条老路,边谈边向前走去时,其中有两个武士,提前往村里跑去了,他们想去告诉乌拉拉的父母,他们失去多年的儿子回来了。因此,当弗朱安他们来到村口时,那里已经站着一大群又笑又喊的加拉人。而站在这群人最前面的,就是弗朱安的父母,当他们看到失散多年的儿子竟意外地来到他们面前时,眼里不由得涌出了喜悦和慈爱的泪花。

这群人马上把弗朱安围了起来,有的向他祝贺,有的向他问候,还有的抚拍他的肩膀。等这阵热闹完了之后,塔宝把弗朱安和他们的父母领到了村长面前。

村长巴顿多是一位老人,当年乌拉拉被拐走时,他就是村长,所以他知道这件事。尽管如此,他却是一个生性多疑的人,他尤其不相信那些沙漠人。他向弗朱安询问了许多问题,把弗朱安的童年时代巨细靡遗地都问到了,譬如他父母当时住的什么房屋,他当年一起游戏的伙伴叫什么名字等等,还问了许多琐细的事。总之,这些问题决不是一个冒名顶替的人答得出来的。当村长审查完了这一切时,他站了起来,走到弗朱安的面前,一遍一遍地抚摸着这个归来的流浪人的脸颊说:"你确实就是乌拉拉。"然后他又大声说,"欢迎回到自己人的土地上来!那么,现在你告诉我,那些沙漠人到这里来干什么?他们是来抓奴隶的吗?"

"那些沙漠人是任何时候都想抓奴隶的,只要他们抓得到。但伊本扎得这次的首要目的还不是为了抓奴隶,他是为珠宝而来的。"

"啊?!什么珠宝?"巴顿多问道。

"他听人说了,尼玛城有珠宝,"弗朱安回答说,"他要寻找一条进入尼玛峡谷的通道,所以他派我来,找到能领他到尼玛城的加拉人。他如果能弄到尼玛城的珠宝,他答应送礼物给领路人,并且也给加拉人丰厚的报酬。"

"这些话,他说了能算数吗?"巴顿多问道。

"这些沙漠里的居民,他们长着大胡子的嘴里,是说不出多少真话来的。"弗朱安回答说。

"如果他们从尼玛城找不回珠宝来,那么,他们一定会从我们加拉人的国土里,抢掠珠宝和奴隶,不然,他们怎么弥补长途跋涉的损失呢?那咱们可要遭受损失了!"巴顿多说。

"巴顿多说的话,从来都是非常明智的。"弗朱安毕恭毕敬地答道。

"他们是怎么知道尼玛的?"老村长继续问道。

"是从一个阿拉伯老巫师那里听说的。"弗朱安回答说,"这个巫师对伊本扎得说,尼玛城里藏有大量的珠宝,而且那里还有一位非常美丽的女人,如果把她带到极北的地方去,可以卖到很高的价格。"

"巫师再没告诉他别的吗?"巴顿多问道,"他没告诉他到那里去有多难吗?据我所知,到那座神秘的峡谷禁地去,是很困难的,他没有告诉伊本扎得?"

"没有。"

"那么,我们可以引他们到峡谷的入口。"巴顿多说这话时,脸上露出了狡猾的微笑。

十一
布莱克·亨特·詹姆斯先生

当泰山和赞得朝着加拉人的村子前进时,贝都因人赞得有了从容的时间去考虑自己的事情。泰山在考虑着,怎么样才能找到一个领路人或护送者,帮助赞得至少走完他返回沙漠家乡的第一段路程。一路上慢慢走来,赞得对泰山渐渐产生了信任和尊敬,直到最后,他能对泰山敞开心扉了。

赞得有一天对泰山说:"丛林的大酋长!由于您的仁慈,使我免于在丛林里丧生,为此,我愿忠心于你。可是现在,我希望你能答应我一个请求。"

人猿泰山看了他一眼,问道:"说吧,什么请求?"

赞得思索着缓慢地说:"我爱着的那个姑娘阿蒂亚,现在仍在野蛮之乡,只要法德一天在她身边,她就一天处在危险之中。可是我却无法保护她,现在即使我知道伊本扎得的大帐在哪里,我也不敢回去。我的打算是,等伊本扎得消了气之后,我还是要回到他们中间去。我会想方设法让他们相信我的无辜。只要我能有机会接近阿蒂亚,我才能够保护她,使她免遭法德的伤害。你知道,我现在真担心她呀!"

泰山问他:"那么你现在准备怎么办?"

赞得说:"我敢肯定,伊本扎得最终还是要回爱儿瓜得去的,当他回去的时候,必定要从这里经过。我想把你挽留住,由你把我送回他们中间去。我琢磨了好久了,只有这一个办法,能让我见到阿蒂亚。除此之外,我也不可能一个人步行穿过苏丹,我盼望你不强迫我现在就离开你和你这个丛林。"

泰山听了之后,想了想,表示同意说:"你是对的,你可以继续留在这里六个月。如果伊本扎得还不回来,我会帮你找个领路人,给他留下话,把你送回家。从这里我可以找到把你安全送回家乡去的道路。"

赞得高兴地大声说:"安拉保佑你!谢谢你的好心!"

当他们终于找到了一个村庄之后,泰山得到村长的允诺,把赞得留在村里,直到伊本扎得回程经过这里的时候。

泰山安置好了赞得以后,就离开村子向北进发,他对赞得说的在阿拉伯人中有一个白人俘虏的事,非常感兴趣。他在暗暗想,是斯廷保吗?不大可能!因为当初泰山叫斯廷保一直向东走,直接回到海岸去,他不会出现在西北方向。而且,根据赞得的叙述,也不像是斯廷保。泰山估计这个白人,是布莱克的可能性更大。然而,也不对呀!泰山对布莱克是十分相信的,他更没有可能到这个西北方向来。因此,泰山分析来分析去,这个俘虏既不可能是斯廷保,也不可能是布莱克。那么,这个人到底是谁呢?泰山一时还真猜不出来。

不过,泰山并不急于弄明究竟。因为赞得曾经对他说过,谁要得到这个俘虏,是要付赎金的,据此,泰山断定阿拉伯人一时还不会伤害他。因此,他想先找到布莱克的帐篷,然后再去追寻那些阿拉伯人。这样,他就能有充足的时间了。

第二天,他在丛林里遇见了托亚特的大猿族群,和它们游猎了两天,泰山又离开了大猿们,在丛林中任意游荡。有时遇到狮子,也拿狮子逗弄着玩。泰山往往在狮子刚刚杀死猎物,正在专心致志大嚼的时候,躲在高高的树上,用树枝或果子,呼喊着掷向狮子,直到狮子停下来,发出震撼大地的怒吼。

其实,我们的格雷斯托克爵士身上的那一层文明的外表,实在是太脆弱了。让他返回到野蛮中去,返回到丛林的居民中去,对他来说,就像换一件衣服那样自然和随便。人猿泰山只有在他熟悉的,并且酷爱的丛林中,才是真正的泰山。而在文明社会里,他虽然也能与人相处,但总感到拘谨,远没有在丛林中那么自由。实际上,这不是泰山所独有的感觉,而是所有的野生动物在人面前所常有的与生俱来的感觉。

泰山向狮子投了一阵浆果,几次把它激怒,后来,他终于感到厌倦了,于是又回到树上,摇荡着藤蔓离去。到了晚上,泰山照例睡在树杈上。早晨醒来,他会从很远的下风头就闻见鹿的气味,然后就去猎取一只,填饱自己的肚子。如果没有别的事,他仍会在树上睡觉。直到树枝的折断声,或其他小动物在草丛或灌木丛中掠过而发出的窸窣声,惊醒他的好梦。

泰山善于用他灵敏的嗅觉闻到好远好远地方的气味,也会用他敏锐的耳朵听到极远处的声音。有一次,他不由得开心地微笑了,他知道他亲密的朋友吞特走到附近来了。

至少有半天的时间,他躺在大象宽阔的背上,听猴子们在树上喊喊喳喳地乱叫。在象背上玩够了之后,他又接着向前赶路去了。

　　大约两天以后,他又遇见了一大群猴子。看起来,它们好像被什么惊扰了,见到泰山之后,它们一齐吵吵嚷嚷地向泰山叫着什么。

　　泰山说:"你们好,猴子们! 我是人猿泰山,丛林里发生了什么事? 你们一个一个慢慢地说。"

　　几个猴子还是乱叫道:"戈曼更! 不认识的戈曼更!"

　　另外一只猴子惊恐地喊道:"戈曼更! 带着雷电棒的戈曼更!"

　　泰山急问:"在哪儿?"

　　猴子们齐声喊道:"在那边,那边!"边喊着边指了指东北方向。

　　泰山问:"很远吗?"

　　猴子们回答:"不远,已经很近了。"

　　泰山又问:"是不是有一个塔曼戈和他在一起?"

　　一只猴子抢着回答:"不! 没有塔曼戈,只有一个戈曼更,他带着雷电棒,我看见他杀死了一只曼纽(猿语,猴子),而且吃了它! 他是一个坏戈曼更!"

　　泰山说:"别怕! 我会对他去说,让他走开。"

　　一只灰胡子的老猴子警告泰山说:"他会用那雷电棒杀死你的!"

　　泰山听了笑了起来,摇了摇头,转身朝猴子所指的方向,从树上的树枝间荡了过去。没过多久的时间,他就模模糊糊地闻到了黑人的气味。于是他就顺着这个气味追寻下去,直到听见有人说话的声音。

泰山小心地、悄无声息地从树上荡了过去。后来,他终于从摇晃的树枝上看清了,他的下面,正是黑人的营地。

泰山很快就认出来了,这就是年轻的美国人布莱克的那支探险队。然后他就纵身跳到地上。这时有一个黑人已经看见了他,一时间吓得目瞪口呆,有几个黑人正要逃跑,但其中有一个黑人马上认出了泰山。

这个黑人大声叫道:"他是大宛那!是人猿泰山老爷啊!"

泰山问道:"你们的领头人在哪里?"

这时,一个高大的黑人走过来说:"我就是他们的领头人。"

泰山问这个高大的黑人:"你们的主人到哪里去了?"

那个黑人说:"他好多天之前就离开这里了。"

"他到哪儿去了?"

"他没对我们说到哪儿去。他是和一个带路人一起走的。他走后,我们遇上了一场暴风雨。他们走了以后,再也没有回来,我们在丛林里找过他们,但一直没有找到。我们把营地扎在与他们约好会合的地点,但始终也没见他们回来,现在我们也不知道该怎么办才好。我们不愿意丢弃那位年轻的宛那,因为他对我们非常好。现在,我们带的口粮,已经不够支持一个月了。我们真担心那位年轻的宛那已经死了,所以我们决定往回走,回家去。然后,把我们经历的事情,告诉那位年轻宛那的朋友们。"

泰山说:"好!你们做得很好。你们看到有一群沙漠人,到森林里面来过吗?"

那个领头的黑人回答:"我们没看见过他们。但是,我们在寻找年轻的宛那时,发现过他们曾经扎营的地方。那里很清楚地,有他们扎过营的痕迹。"

"在哪儿?"

"是在到阿比西尼亚以北,加拉人住地的路上。从他们扎过营的地方看,他们是往北走了。"

泰山考虑了一会儿,吩咐说:"你们可以回自己的村子去了,但首先要把那位年轻宛那的东西,交给他的朋友们,替他保管好。然后,派一个跑得快的送信人,往泰山的庄园上送个信,告诉他们派一百名瓦齐里武士,到北加拉人居住的地方来。他们可以从干河床上磨光了的鹅卵石上,找到沙漠人走过的路,跟上他们!"

那个领头的黑人答应说:"是,大宛那!你吩咐的我们一定做到。"

"把我的口信再重复一遍!"

黑人把刚才泰山吩咐的话又重复了一遍。泰山听了说:"好的!那么我先走了,但是不要再杀猴子了!除非你们再也找不到别的食物,因为它们并不伤害人类。"

"我们明白了,宛那!"

在尼玛城哥伯瑞亲王的城堡里,布莱克·亨特·詹姆斯正在接受骑士的基本训练。查理成了他的保护人,并负责指导他的训练。哥伯瑞亲王很快就看出来了,布莱克对武士起码的守则,一窍不通。所以,他对布莱克抱着明显的怀疑态度;而马路德爵士,却几乎是公开地对布莱克抱敌对态度。忠诚的查理爵士,毕竟是一位十分优秀的武士,所以他有自己的一套办法。公主闺娜塔对布莱克有比较好的印象,这一点,对她的父王恐怕也不无影响,因为在尼玛城所有的珍宝财富中,尼玛公主具有不同一般的地位。而布莱克这位既漂亮又年轻的武士的突然到来,在这个死气沉沉、被人遗忘了的尼玛城里,可以说掀起了很大的波澜。这自然也引起了闺娜塔公主的好奇心和兴趣。

查理从自己的服装柜里拿出来一些布,又找了剪裁工和缝纫女工,为布莱克缝制了一套武士服装,同时又找了管军械的武士,给布莱克配齐了武器装备。这些事并没用了多少时间,大约有一个星期,布莱克先生已被装备成一位有服装、马匹和盔甲的尼玛武士了。当他向查理询问他如何支付这些物品的费用时,他才发现尼玛人几乎对钱币一无所知。长官查理告诉他,这里使用的有限的几枚小钱,还是他们的祖先在735年以前带到这里来的。他们并不用这些钱币,至于一切支付,都是用相应的"服务"去报偿。

武士们负责保卫亲王和尼玛城,而亲王则供养他们。武士们也保卫劳工和工匠,而这些人则以对他们的需求给以服务作为回报。奴隶从亲王和武士那里接受衣食,也都以服务为报偿。尽管在亲王和武士手里,也有贵金属和宝石之类在他们之间流通,用来做交易工具,类似钱币的代用品,但这种机会毕竟是很少的。

这里的人对财富似乎并不关心,他们最关心的是自己表现出来的勇敢和所得到的荣誉,但这些都是无价的。工匠们则只对他们的工艺成就和得到的夸赞感兴趣,当然,这也不属于物质回报。

这里的峡谷土地肥沃，可以生产出丰足的粮食，土地则由奴隶们耕种。比较起来，最自由的人要算工匠了。士兵的职责是守卫城堡，武士们则对整个尼玛城的安全负责，如有敌人入侵时，他们则要抗击抵御。平时则参加马上的比武，或在峡谷周围和山地上进行狩猎。

　　日子一天天地过去，布莱克在查理得体而有效的指导下，已经很快地掌握了一些骑士的技艺。只是在用剑和盾牌上，还感到有点困难，尽管他在大学时已经掌握了一些使用这种金属圆片的技巧。不过据布莱克观察，尼玛城里的武士们，似乎根本不知道如何使用双刃剑的防御功能，他们只会用它全力进攻。尼玛城的武士把剑只当作一种砍杀的武器，而盾牌则只用于防御。布莱克在击剑练习中早就具有的防御实践，使他占了很大便宜，他在使用盾牌上虽然差一些，但他用剑的防御动作，却比尼玛武士们灵活自如得多，因此他的防护本领由于剑术的高明，显得并不比尼玛武士差。相反，尼玛武士中，没有人向他学习用剑的技巧，因而他们的武艺反而没有什么长进。至于对长枪的使用，布莱克丝毫不感觉有什么困难，因为长枪射击的好坏，往往取决于骑术的优劣，而布莱克在学校的时候，就已经是一位优秀的马球手了。

　　城堡的外院，也就是内墙和外墙之间的那一块空地，处于峡谷的北沿，完全可以作为骑士们实习或操练的场地。这里非常广阔，靠场地里面建有一个木制的大看台，它建造得十分灵活，如果有战事发生，随时可以拆掉。

　　骑士们比武，几乎每周都在这里进行；而更大规模的马上比武，有时却在峡谷的底部进行。

武士们和女士们几乎每天都有人来参观在外院举行的实习和训练，所以每天一清早这里就挤满了人，除了武士们之外，还有不少穿着美丽服装的女士们，简直人头攒动。人多了，就会有各种各样的热闹，如善意的取笑、逗乐，互相揶揄和玩笑，其中也不乏打赌下注的。在实习的回合中，有时也有人落马，所以也免不了有伤亡。这里有一个风俗，对于一个武士来说，受到大众的嘲讽，甚至比死还可怕。

每周举行一次的正式马上比赛，包括参赛者和观众在内，都必须遵守正式的礼仪。而每天都有的实习锻炼中，却没有这么严格的规矩，周围观看的人，可以开玩笑，甚至尽情取乐，有时这种取乐就不免流于残忍无情。就是在这样的环境中，在这样的观众面前，布莱克要接受对他的训练，而且，还因为他是一个外来人，一个新手，看他参赛的观众，比平时还要多。不论是查理，还有马路德和他的朋友们，都心照不宣地认为布莱克是今天大家争论的焦点。所以在布莱克出场以后，喝彩声和嘲讽声都达到了白热化的程度。

亲王和公主闺娜塔也经常亲临现场，而且亲王哥伯瑞，很快就明显地表现出了他对马路德的偏袒。在任何地方都会有这种人，看上面的眼色行事，见风使舵，于是很自然的，没用多少时间，马路德就赢得了更多的拥护者。

对那些将要成为武士扈从的少年们的训练，则大多安排在一大清早。在这种训练中，也有些幸运者，最终会进入他们梦寐以求的骑士圈。接下来才是骑士间的马上比武，在这期间，查理和他的一个朋友，正带着布莱克，在外院的一角进行训练。也就是在这种情况下,布莱克才有机会一展他精湛的骑术。连哥伯瑞亲王看了,也不由得赞叹说:"老天!这个人将成为一个出色的冲锋骑士。"

马路德马上不以为然地说:"别看他骑得欢,这只会加速让他从马背上掉下来。"

哥伯瑞亲王说:"也许吧!我们且看下去,我很喜欢他坐在马上的姿势。"

马路德勉强同意说:"他使用长矛的技术,也许还不那么拙劣,不过,我的老天!您没看见吗?他用盾牌不是比一个乡巴佬更笨拙吗?我想,他使用木盘子也许更内行些。"这句俏皮话立刻引起了周围的人一阵哄笑,但是,闺娜塔公主并没有笑。马路德的眼睛,时刻都在瞟着公主,所以他马上就注意到了这一点。

马路德问公主说:"你仍然相信这个乡下人会成为一个骑士吗?闺娜塔公主?"

公主板着脸反问道:"难道我说什么了吗?"

马路德像颇有证据似的说:"你刚才没有笑,不是吗?"

公主依旧板着脸,不客气地说:"他是一位异乡的武士,远离了他自己的国土,取笑他,既显得不仗义,欺生也未必是一件高尚的事。因为这些理由,所以我不笑。而且我也不觉得有什么好笑。"说着,她轻蔑地瞟了马路德一眼,然后马上把脸转过去了。

这天的下午,当布莱克和其他人一起,来到大院的人群中时,迎面碰见了马路德那一伙人,他并无意躲避马路德,布莱克并不在乎这群人含蓄的、令人不愉快的嘲弄和讽刺。马路德却正因此而认为布莱克是一个土包子,天生迟钝和无知,在他眼中,布莱克就是一个什么也不懂的乡巴佬。但也有另外一些人赞赏布莱克的态度,喜欢他这种不拘小节的作风,而且也看出了他的深沉,敢于勇敢地面对马路德。马路德对此,却是浑然不觉。

在尼玛城堡里的许多居民,都对这个新来的布莱克感兴趣,因为他给这个古老而严峻的城堡带来了一种新鲜气氛。这种新的气氛给这个经过了七个半世纪的尼玛城的沉闷空气,带来了一种更新和解放。例如,他给大家带来了新的词汇、新的表达方式和新的观点。这些新事物,很快地被这里人接受而且加以运用。而布莱克对于来自马路德的颇有影响力的敌对态度,甚至也毫不例外地张开双臂接受下来。

尽管查理比马路德更受人欢迎,但是,他却没有马路德那么多的财富、马匹和侍从,对哥伯瑞亲王的影响力也没有马路德大。不过,人和人并不都一样,在尼玛城堡中也是如此,总还有一些具有独立性格的人,他们并不惯于看长官的眼色行事,而是会运用自己的判断力,这些人更喜欢布莱克的为人,因而成了布莱克的忠实朋友。

在马路德周围的人中间,也并不都对布莱克持有敌意,但可以说,大多数人都是以马路德马首是瞻的,因为在以国王为中心或以亲王为中心的宫廷中,总是会培养出一批俯首帖耳的、只会说"是"的奴才的。

当布莱克走过人群时,经常有许多人向他微笑或点头致意。这一次,他直接走向了闺娜塔公主,向公主鞠躬。在这里,公主毕竟是王室血统,应该先得到别人的问候。

公主亲切地对布莱克说:"你今天早上演习的动作真漂亮,

詹姆斯先生！你的骑术也让我看得很高兴。"

马路德这时候却插进来嘲笑地说："公主,你今天早上可能来得迟了些,没有看到他怎么样用那个上菜的盘子(暗指布莱克不善使用盾牌)。"他这句话引起了周围一阵哄笑。这更鼓舞了马路德,为了进一步得到喝彩声,他继续说道："我的老天！如果给他装备一只木盘子和一把餐用刀,他或许会用得更灵活些。"马路德没有料到,布莱克不再像过去那样宽容了,他毫不客气地反唇相讥道："一说到上餐桌,马路德爵士脑子里就充满了食欲,这时,他就完全忘了骑士风度了。不过,大家都知道应该怎样快速地上一道新鲜烤猪肉吗？"

公主闺娜塔说："不知道！诚实的武士先生,你快告诉我们吧。"

马路德显然还没有明白,也兴奋地跟着吼道："告诉我们！看起来上菜你是内行,你肯定知道。"

布莱克马上回应道："你这回可说到点子上了,不错,我知道。"

马路德急不可待地说："那么,你快说说看,很快地上一道新鲜烤猪肉,需要什么？"马路德一边说,一边看看他周围的人,并向他们挤挤眼睛。

布莱克一字一句清清楚楚地回答说："需要一个大盘子、一把切刀,还有你,马路德爵士。"

有那么几秒钟,场上十分安静,过了一会儿,大家马上明白了布莱克的意思,首先是闺娜塔公主大笑起来,很快大家也都跟着哄笑起来。这时,也有人把布莱克话的意思,解释给身边的人听,于是哄笑声一阵接着一阵。

大家都在笑,马路德可没笑出来,当他明白布莱克这俏皮话的含意以后,他的脸先是一阵红,接着又变得苍白起来,平时倨傲惯了的马路德,从来没有人把他当过讽刺的笑柄,总是他拿别人取笑,这一下,他可恼羞成怒了。

他恶声恶气地喊道:"小子,你胆敢当众侮辱马路德?该死的家伙!你忘了,你不过是个出身低贱的侍从罢了!你必须用你的血偿还你的恶行!"

布莱克脱口而出地说了一句美国俗话:"放马过来!把你的绝招儿尽管亮出来好了!"

马路德暴跳如雷地大声说:"我不明白你这粗话的意思。只要明天你不敢跟我进行一场公正的马上比武,我就会把你赶到墓地圣谷,活活把你冻死饿死!"

布莱克打断他说:"这么说,你乐意和我来一场了?明天早晨在南外院,带着……"

"你可以随便选什么武器,小子!"马路德不等他说完,就恶狠狠地说。

布莱克非常平静地带着笑容说:"不要叫我小子,我不喜欢这样的称呼。我倒想告诉你点什么,马路德!这也许对你的心灵深处有好处,你应该学会善意待人!在这个尼玛城里,你确实是唯一从来不好好待我,也不想给我机会,让我证明自己能力的人。"

马路德像被噎住了一样,说不出话来,布莱克又接着说:"你以为你是一个伟大的骑士吗?然而你不是。你既没有天才,也没有仁慈之心，更谈不上有侠义心肠。在我家乡，你不是那种称得上'磊落'的人。不错，你手下是有几个士兵，有几匹马，你不过就有这么些东西而已，如果你没有这些东西，你也得不到亲王的青睐。没有亲王那点青睐，你会连个朋友都没有的。"

马路德张口结舌，因为这些话太出乎他意料了。布莱克平静地继续往下说："平日，也许没有人敢对你说这些话，我可以坦诚地告诉你，在任何方面，你都比不上查理爵士，他身上综合了骑士的一切美德，这种美德，是经过好多世纪才逐渐培养起来的。我起码还称得上是个好人，你却连我都不如。在马上用你们的武器，我甚至能比你用得好，用盾牌和剑，明天早晨，我们在南外院就可以见出分晓，咱们明天当众比个高低！"

他们周围的人，见马路德发起怒来，都慢慢地离开了布莱克的身边，直到他说完了这一大段话，他才发现身边没有人了，只剩下自己孤零零地站在离马路德几步远的地方。原来站在他身边的人，现在却都到马路德那边去了。原来站得离马路德不远的闺娜塔公主，却向布莱克这边走过来。

公主带着一种甜甜的微笑对布莱克说："詹姆斯先生，你的话说得太多了。"接着她发出一阵愉快的笑声说："跟我到花园里去走走吧，武士先生！"说完，她挽起布莱克的手臂，领着他向庭院的东面走去。

布莱克激动得不知该说什么，他向公主只说了一句话："你真是太好了！"

公主反问道："你真的认为我是太好了吗？很难说男士们对我说的话都是真心实意的。根据我这些年来的经验，真话，正像人们所理解的那样,一般对奴隶说的,要比对一个公主说的多得多。"

布莱克认真地回答说:"我想,我的话可以用我的行动来证实。"

他们一起走出了好长的一段路,这时,离其他的人已经比较远了,公主突然把她的手放在布莱克的手上,说:"我之所以把你领到这里来,詹姆斯先生,我有些话想单独跟你谈。"

布莱克微笑着回答说:"只要你愿意,不管什么理由,我都接受。"

公主点了点头说:"你在我们中间是一个陌生人,还没有习惯于我们的方式。你对于武士的实践也不熟练,这里有不少人怀疑你的武士血统,尽管你很勇敢,或者说,你同时还是一个很单纯的人。明天比武,你选择了剑和盾牌做武器,依我看来,你运用这两样武器的技巧,都还显得很笨拙。正因为我看出了这一点,我觉得你明天有生命危险。所以我把你带出来,就是想跟你说这件事。"

布莱克问道:"那我该怎么办?"

公主说:"我看你使用长矛,已经得心应手了,现在你提出更换明天的武器,也还不太晚。我希望你提出更换武器。"

布莱克问道:"公主,你对这件事很关心吗?""关心"这两个字,包含着世上所有说不尽的含意。

公主的眼睛先是低下去了一会儿,然后带着一种亮晶晶的光芒看着他,这时,公主的目光里已经带着一种倨傲的神情了。她说:"我是尼玛亲王的女儿,我当然要关心我父亲的一切,包括他最下面的臣民。"

停了一会儿,公主又说:"我想,你对我的建议,应该考虑一下。詹姆斯先生!"

布莱克一直在听着她说,直到她说完了,他只是微笑地看着她。

公主终于生气了,跺着脚大声说:"你这种笑太无礼了!我不是你想的那样,先生!你对于一位亲王的女儿,太鲁莽,也太唐突了!"

布莱克仍然带着他那种微笑说:"我只是问你,你是不是对于我被杀死这件事很关心?就算是你的一只猫,也可以这样问吧?"

"关于这个问题,我已经回答你了,那么,你为什么还要笑?"

"因为你的眼睛在你的嘴回答问题之前,就已经回答我了,而且我知道,你的眼睛说的话才更真实。"公主听了,又跺着脚说:"你真是个鲁莽的乡下佬!"这时她加快了脚步往前走,边走边说:"我不会留在这里让你再气我了!"

公主把头昂得高高的,骄傲地大步流星地回到人群那里去了。

布莱克却紧紧地跟在她后面,小声地说:"明天,我会用剑和盾牌与马路德比武,托你的福,我会打败尼玛城最好的剑和盾牌手的。"

闺娜塔公主不打算听他再说什么,快步走向围着马路德的那一伙人中去了。

十二
"明天你死定啦！"

在酋长巴顿多的村子里，那天晚上举行了一场庆祝会，庆祝乌拉拉的归来。这次庆祝会很隆重，杀了一只山羊和许多只鸡，还有用木薯粉做的面包和烤饼之类的食物。当然，席上少不了土制的啤酒，还有水果等等，在这个村落里，可吃的东西几乎说是应有尽有了。庆祝会除了吃的、喝的之外，还有音乐和舞蹈。整个村子都狂欢起来了，村民就这样一直闹到第二天早晨，才到睡席上躺下睡觉，以至于一直到第二天下午，弗朱安才有机会找到酋长巴顿多，和他去谈自己觉得必须谈的严重的事情。

弗朱安是在村长的小屋外，阴凉的墙边找到巴顿多的。这位老村长还因昨夜自酿酒喝多了，而处在半清醒的状态中。

弗朱安郑重地开口说："巴顿多村长，我必须得跟你谈一谈，我要说的是有关那些沙漠人的事。"

巴顿多点点头，表示他同意了，尽管他的头还在疼。

弗朱安说："昨天你说过，你会领他们到禁地峡谷的入口处，这意思就是说，你不会跟他们打仗，是吗？"

巴顿多回答说："如果他们仅只是要求领他们到禁地峡谷的入口处，再没有别的事，我们无需跟他们打仗。"

弗朱安不解地问:"老村长,你不是在跟我打什么哑谜吧?"

老村长停了一会儿,郑重地说:"听着,乌拉拉!你还是个孩子的时候,就被人偷走了,离开家乡的时候,你还很小,所以有许多事你不知道,而且有些人和事,恐怕你也忘记了。其实进入禁地峡谷并不难,尤其是从北面。许多加拉人都知道怎么样从北面的通道翻过去,或者穿过大十字前面的通道,然后找到南面的入口处。只有这两条路可以进入禁地峡谷,这几乎是所有加拉人都知道的。然而所有的加拉人还知道一点,那就是:只要进了禁地口,从来没有人再从谷里走出来。"

弗朱安迷惑不解了,问道:"巴顿多村长,你这是什么意思?既然有两条路能进去,那么,就一定有两条路能出来啊。"

酋长非常肯定地说:"不,没有出来的路。人们能记得的和流传下来的传说,我们的父辈,或者父辈的父辈,都知道有人曾进过禁地峡谷,而且大家也都记得,凡是进去的人,没有一个出来过。"

弗朱安追问:"为什么他们走不出来,他们不能原路而回吗?"

巴顿多摇摇头说:"谁知道呢?没有一个人出来过,我们连他们的死活都不知道,怎么能知道谷里的详细情况呢?"

弗朱安问:"那么,住在峡谷里的是些什么人?"

酋长说:"傻孩子,这还用问?这事当然没人知道,因为凡是进去的人,没有人能回来,谁能说出真相呢?有的人猜测,里面住着的可能是死亡的幽灵,也有人说,那里面住着的是豹人。总之,没有人知道真相。"

停了一会儿,巴顿多又说:"乌拉拉,我主张你去告诉那些沙漠人的头儿,我们可以领他们到峡谷的入口处。我们这样做,无需和他们发生战斗,而且我们可以不费一兵一卒,今后再也不会受到他们的骚扰。"巴顿多说到这里,不由得大笑起来。

弗朱安有点不安地问道:"那么,你会派一个向导,和我一同领贝都因人到峡谷去吗?"

酋长回答说:"不!你到了他们那里,告诉他们,我们三天以后到。在这期间,我们有充分的时间,从别的村子召集起许多战士,因为我根本不相信那些沙漠人,我必须有足够的后备力量,监视他们穿过我们的地区。另外,你告诉那些沙漠人的头儿,我们领他们进峡谷,不能白领,是要报酬的,报酬就是要求他们在进峡谷之前,把所有从我们加拉人这里俘虏去的奴隶,统统释放回来。"

弗朱安说:"恐怕伊本扎得不会答应这个条件。"

巴顿多气愤地说:"跟他好说,他可能不会答应,可是当他们发现已经被加拉武士包围起来以后,我敢说他们会答应的。"

就这样,这位加拉人的奴隶弗朱安,又回到了伊本扎得那里,向他的旧主人报告了他从老酋长那里带来的消息。只是没说进入禁区峡谷之后再也出不来的事。

伊本扎得起初拒绝释放奴隶,后来弗朱安告诉他,除了他答应这个条件,巴顿多绝不会领他到峡谷的入口处。而且他不答应释放过去捉来的加拉奴隶,也会招致加拉人的敌对行动。伊本扎得权衡轻重,考虑再三,最后还是答应了这个条件。不过在他内心,却还做着另外的打算。他相信在实现诺言之前,他会想出一个圆满的爽约办法。

弗朱安对于背叛贝都因人心里总有几分不安,他不喜欢贝都因人,但觉得阿蒂亚是个善良的好姑娘,把她也送上不归路,似乎有点不应该。但弗朱安又是一个天生的宿命论者,他总是用命运来宽慰自己,不论事情如何发生、发展,他都认为这是命中注定的。

伊本扎得正在等待的时候,也正是巴顿多召集武士向他这里集中的时候,人猿泰山正好来到有着许多光滑的大圆石的水池边,他已经追踪上了贝都因人的足迹。

泰山从黑人那里已经知道了年轻的美国人布莱克迷失在了丛林里,尽管他们同样也再没有见过斯廷保,但是他是朝海岸的方向走去的,所以泰山相信在阿拉伯人手里的,不会是斯廷保,一定是布莱克。

尽管如此,泰山并不担心布莱克有什么性命危险,因为贝都因人贪图赎金,不会轻易杀人。泰山也无需躲闪、掩盖他跟踪伊本扎得的足迹。

有两个人正坐在各自粗糙的凳子上,他们中间隔着一张粗糙的桌子,桌上放着一盏油灯,油灯的灯芯发出微弱的光亮,它映照出的影子,在石块筑成的墙上,显出巨大而怪异的样子。

通过一个狭窄而没有玻璃的窗子,夜风吹了进来,使得桌上的灯光摇曳不定,一会儿摆向这边,一会儿又摆向另一边。桌上放着一个画满了方格的棋盘,棋盘上摆着几枚棋子。

其中的一个人说道:"该你走了,查理!今晚上你下棋似乎有点心不在焉,怎么了?心里有什么心事吗?"

另一个人回答说:"我在考虑明天的事呢,詹姆斯!我心里没法不感到沉重!"

布莱克问道:"为什么?"

长官查理说:"马路德在尼玛,算不上是个好的击剑手,但是……"说到这儿,他犹豫了。

"我可是最坏的。"布莱克接上他没说完的话,把他的意思补充下去,然后大笑起来。

查理无可奈何地看着他,然后只好微笑着说:"你老是开玩笑,就是面对死亡,你也不在乎。"停了一会儿,他继续说,"处在这个陌生的国度里,难道你对什么人都是这样说话?"

布莱克没有正面回答他,却提醒他说:"该你走了,查理!"

查理终于忍不住了,说:"你必须要注意!在用盾牌挡他的剑时,万不可同时也挡住自己的眼睛,詹姆斯!要紧紧盯住他的眼睛,直到看出他要攻击你的什么地方。要用好你的盾牌,挡住他的剑,他的眼睛往往会告诉你,他的剑将向什么地方砍去。因为我常和他在一起练习比武,所以才熟悉他的剑路。"

布莱克说:"可是他始终也没能把你杀死啊!"

"嘿!你怎么这样看问题?我们那只是练习,但是明天就不一样了。因为马路德一心想要你死,明天将会是一场生死之争,我的朋友!你还不明白吗?他要用血来洗刷你对他的冒犯。"

布莱克问道:"他就是为这个要杀死我吗?那我要向全世界宣布,他可真是个小气的无赖!"

"不!要只为这点事,他至多给你放点血也就算了,他还有更重要的理由要和你拼命。"

布莱克大惑不解地问:"另外?另外的什么理由?我什么地方还得罪过他?我和他,总共也没说上过十句话。"

"吃醋。"

布莱克吃惊地问道:"吃醋?吃谁的醋?"

查理说:"他想和闺娜塔公主结婚,可是他已经注意了你用什么眼光看着公主!"

"胡扯!"布莱克不由得喊起来,跟着,他的脸也红了。

查理坚持说:"哪里话!他可不是唯一的一个注意到你这种表情的人。"

"你瞎猜!"布莱克打断了他的话说。

查理说:"总是有许多人喜欢看公主,应该承认,她确实是无比美丽的,可是……"

布莱克不由得质问说:"对了,你也承认,许多人都爱看公主,难道马路德能把这些人都杀了吗?"

"当然不会这样,因为公主对他们都不屑一顾,而她对你的态度可不同。"

布莱克听了,仰身大笑说:"现在我可知道你们为什么瞎猜了。"接着他大声说,"我承认,我承认公主是一位甜美的小可人儿,但是说实话,先生们,公主对我也同样不屑一顾。"

"得了吧!你这个说外方口音的先生!我明白你的意思,詹姆斯!但是你无论如何辩解,是骗不过我的。你在比武训练的时候,公主的眼睛可一直是盯着你的,而且你看她的眼神就像一个宠物看着它的主人,充满着爱慕的神色。"

"去你的吧!说你的瞎话吧!"

查理认真地说："你别这样一味地不承认，正因为我看出了这一点，所以我知道，马路德非把你淘汰出局不可，也正因为我深知这一点，才感到悲哀。跟你说老实话，我非常喜欢你，我的朋友！"

布莱克站起来，绕过桌子走到另一边，站在查理的面前说："查理，你是一位非常好的老师。"他把一只手放在查理的肩上，热情地说："但是你不要担心，现在我还没有死。我自己也知道在用剑上，我显得有点笨，但是，就在过去这几天里，我已经尽可能学了很多招，我觉得，我会让马路德长官大吃一惊的。"

"你的勇气和你超乎寻常的自信会使你走得太远，詹姆斯！剑术，毕竟不是一两天就能练熟的。这也就是马路德比你占先的地方。"

这时布莱克把谈话岔到另一个话题上去了："那么闺娜塔公主对马路德将来提出的求婚，会中意吗？"

"为什么不呢？马路德是一个有权势的武士，他有一座自己的大城堡，有许多马匹和侍从。此外还有十几个武士跟着他，他足有百十名兵士。"

布莱克问道："难道这里还会有武士拥有自己的城堡、侍从或下属吗？"

查理回答说："这样的武士，这里恐怕有二十多位呢！"

"他们都住在哥伯瑞城堡附近吗？"

查理解释说："都在山脚下，距哥伯瑞城堡大约九英里，分布在哥伯瑞城堡的各个方向。"

布莱克问道："在这样一个大山谷中，再没有住着别的什么人吗？"

查理反问他："你听人提到过鲍汉吗？"

"是的，经常听到，他是谁？"

"他自称皇帝或国王，但我们都不把他当成国王。他有他的部下，住在大峡谷的对面。他们的人数大约与我们相当，我们经常和他们发生战争。"

布莱克问道："可是我还听到别的说法，说有一场规模很大的锦标赛，现在武士们进行训练正是为了参加比赛。我想，鲍汉和他的武士们也会参加吧？"

查理说："是的，他们也参加，每年一次，都是在开斋节后第一个星期日举行。每次大约要举行三天。这件事还是在很远的古时候，在先锋和后卫两部分人通过休战协定时，规定下来的一种马上比武赛事。举行的地点，头一年如果在尼玛城前面的平原上，下一年就一定在圣墓城前的平原上。"

布莱克好奇地问道："你刚才说先锋和后卫，这是什么意思？"

查理说道："你现在已经是一个尼玛城的武士了，就应该知道这些事。"

布莱克见他没有正面回答，就说："我怎么知道你们这个大山谷里还有这么多怪事？"

查理严肃地说："你应该知道，我现在就告诉你，你好好听着。为了说清这件事，我们必须从头说起。"说着，他从柜橱里拿出一个大肚酒瓶和两只高脚杯来，然后倒了两杯红酒，把自己那杯一口喝干，继续说道："我的老祖先查理一世，是从西西里岛出航的,他在1191年春天带着他庞大的部队到了阿克。在那里,他和法王菲利浦·奥古斯都会合,共同从撒拉逊人手中夺回圣地。但查理中途因征服塞浦路斯和他邪恶的暴君耽搁了行程,这个家伙因侮辱查理一世的未婚妻贝伦葛利亚,查理与他恶战了一场。

"但是当他们再次启航驶向阿克时,他们的船上多了好些塞浦路斯妇女,这是因为有些士兵喜欢她们,就把她们改扮成士兵的样子,藏在船上了。正因为这样,使得两条大船航行迟缓,偏巧又遇上了暴风雨,把他们吹到了非洲海岸,结果,他们的船触礁沉没了,他们只好登岸。

"就这样,本来是要到耶路撒冷去的,最后却走到这座大山谷里来了。于是鲍汉就宣布这里就是圣墓所在地,十字军东征也就这样结束了。他们的十字是所有十字军东征战士们的标志,本来是在胸前的,只有完成了任务,才能移到背后,因为鲍汉宣布他们已完成了东征任务,找到了圣墓山谷,所以他们就把胸前的十字移到背后,准备返回家乡了。

"但是哥伯瑞坚持这里不是圣墓,十字军东征的任务并没完成,所以,他和他的所有武士、随从都仍旧把十字放在胸前,并且建造了一座城市和一个坚固的大城堡,挡住了进出山谷的道路,这样,鲍汉和他的人马就被挡在山谷里,无法回到英国去了,直到他们真正完成了他们的使命为止。

"于是鲍汉穿过山谷,在相反的一方也建起了一座大城堡,以阻止哥伯瑞向真正的圣墓所在地前进。从此以后,鲍汉的后裔七个半世纪以来,坚决阻止哥伯瑞的人向他们那个方向前进,而哥伯瑞的后裔,也阻止鲍汉的后裔返回英国去,以免使武士精神蒙羞。

"哥伯瑞以亲王的称号自居,鲍汉也把王的称号一代代传下去。这么多年来,哥伯瑞的人一直把十字架的标志放在胸前,自称是先锋,而鲍汉人则把十字架放在背后,当然他们也就自称是后卫了。"

布莱克听完了查理讲的这一大段前因后果之后,问道:"那么,你也仍坚持前进去解放圣地吗?"

查理坚定地回答说:"那当然了。后卫人也坚持要返回英格兰去,不过,很久以来,我国双方都明白,各自的愿望是很难实现的。因为我们是处在众多的撒拉逊人的层层包围之中,他们的人数,要比我们多得多。"

查理最后问布莱克:"你认为我们留在这里,处于敌人重兵包围之下,是明智的吗?"

布莱克思考了一下回答说:"好!我跟你说说我的看法,你肯定会大吃一惊。我认为你们不论骑着马冲进耶路撒冷,或者返回伦敦,其结果都是一样的。总之,查理!如果我是你们,我宁愿留在这里。你明白吗?经过735年之后,你们的家乡人,恐怕绝大多数都把你们忘记了。就连撒拉逊人也会弄不明白,你们现在为什么还要攻击耶路撒冷。"

查理也承认这一点,他说:"你说的可能是很明智的,说实话,我们对这里的生活也很满意,我们也不知道其他国家、甚至自己家乡的情况了。"

说完了这些,两人都陷入了沉思,有好一阵时间都没有说话。布莱克终于先开口了:"这种大比武,我很感兴趣。刚才你说,大比武在开斋节后的第一个星期日开始,离现在已经没有多少天了。"

"是的,是没多久了,如何?"

布莱克充满自信地说:"你看,要是我以什么名义参加一次怎么样?现在,我的长矛越练越精,一天比一天好,不是吗?"

查理的脸上显出很伤感的样子,摇摇头说:"你还想参加什么比武吗?明天,你死定了!我的朋友,你自己还不明白吗?"

布莱克大声揶揄说:"真的吗?你可真是个让人喜欢的伙伴!"

查理回答说:"我只是在说真心话,我的好朋友!你的事让我感到悲哀和痛心,这是真的。而且更为真实的是,明天你不可能战胜马路德。如果有可能,我宁愿代你一搏。我只能安慰自己说,即使你死了,也死得像一个称职的武士,决不玷污你骑士的纹章和称号。这也会使闺娜塔公主感到极大的宽慰,特别是因为你能英勇地面对死亡。"

布莱克有点感到惊奇,问道:"你是这样想的吗?"

"那当然了,我还能怎么想呢?"

布莱克又问道:"如果我死了,闺娜塔公主会感到不安吗?"

查理问:"不安什么?"

布莱克也感到自己问得有点欠妥了,忙纠正说:"我是说如果我死了,她会感到生气或不高兴吗?"

查理说:"我没想那么多,我也不可能随便乱说,但是无论如何,可以肯定地说,没有哪一位女士会因为可能成为她丈夫的人被打败或被杀死而感到高兴,因为,如果你没有被杀,那么,被杀的就肯定是马路德了。"

布莱克问道:"这么说,马路德是她的未婚夫了?"

"这恐怕已经是不言而喻的事了,尽管还没有正式宣布……"

布莱克打断他的话说:"现在我可要上床睡觉了,为了明天有充沛的精力,今晚我必须好好睡一觉才行。"

布莱克舒展地躺在床毯上,床放在靠石墙的一边。他并没感到多少睡意,于是顺手拉过另一条毛毯盖在身上。明天,他将和一位骑士进行一场生死战斗,这事不能不萦绕心头。布莱克毕竟太年轻,也非常自信,以至于他很难想象明天被杀死的是他自己。他也知道,这种可能不是丝毫都没有,但是这种想法绝不会搞得自己焦躁不安。不过,却有另外一件事,真的让他有点心烦意乱,甚至让他生气,他发现自己对这件事竟然真的非常关心,那就是西面城堡的马路德爵士,将向尼玛城的公主闺娜塔求婚!

布莱克躺在那儿不由得自言自语起来,他也知道这位公主是把他看得一文不值的,如果自己竟然对这样一个中世纪的小公主产生爱情,那可真是蠢得够呛了。那么,明天他该怎样对待这个"情敌"马路德?假使明天他战胜了这个家伙,那又该怎样?如果杀了马路德,会不会让闺娜塔很不高兴,或者很悲伤?如果他杀不死马路德,那又会怎么样?詹姆斯先生对这个问题,简直找不到答案了。

十三
在赞得的帐篷里

伊本扎得在营地里等了三天,但并没有像弗朱安向他报告的那样,有加拉向导来领他们到山谷里去。因此,他派弗朱安再去催促巴顿多酋长快点来,除了急于得到财宝以外,还有另一个原因,那就是他还存在着对人猿泰山的恐惧。伊本扎得认为,泰山总有一天会回来惩罚他的。

他估计,自己可能已经走出泰山管辖的区域了,但同时他也知道,所谓疆土的界限,是非常模糊的,他没法确认自己已经走到了安全的地界。他预感到泰山一定会等他回来,而当他回来时,又必须再穿过泰山的辖区。为了躲开泰山,他准备在回程时不再向西走,而向北走,他一定要重新找到那条向北的路,也就是当初他从沙漠地带走过来的路。

此时,在大帐篷前庭的地毯上坐着许多人,有伊本扎得和他的兄弟托洛格、法德和斯廷保,还有一些其他的阿拉伯人。他们正在谈论着为什么巴顿多至今还没有派向导来。他们担心会不会有什么背信的行为,因为很明显,这位酋长是在调集周围村庄的武士。尽管弗朱安曾向他的阿拉伯主人保证过,巴顿多即使调集武士,也决不是用来对付阿拉伯人的。只要伊本扎得遵守原来的约定,不抢劫他们,他们就决不会这样做。可是伊本扎得和他的亲信们,都认为加拉人的行动包含着某种危险。

阿蒂亚正忙于家务,她如今再也不像从前那样爱笑爱唱了,因为她心里总是为她的爱人感到沉重。她听到了前帐的那些谈话,但这引不起她什么兴趣。有时,她的眼睛从前后帐之间的帐幔边上,瞟一眼前帐的人,当她看到法德时,两眼里总是充满了憎恶的火焰。

这一次,她偶然看了法德一眼,发现法德突然看着帐外的某处,惊讶地睁大了双眼,并且喊叫了起来:"老天!伊本扎得,看哪!"

和别人一样,阿蒂亚也向法德指的方向看去,她也不由得小声惊叫起来。而外帐的那些男人,有的嘴里低声咕噜着、咒骂着,有的却惊叫起来。

原来,这时正有一个大汉,大步穿过营地,径直向大帐走来,他全身褐色的皮肤,被太阳晒得都发了光亮。他肩膀上斜挂着一捆用长纤维拧成的长绳,手里拿着一根长矛,腰里挎着箭袋和腰刀,背上还背着一个椭圆形的盾牌。

伊本扎得看清了来人,不由得叫了出来:"人猿泰山!该死的,他怎么又来了?"

托洛格小声说:"他一定把他的黑武士藏在丛林里什么地方了,否则他不敢一个人闯进贝都因人的营地里来。"

伊本扎得很不高兴看到泰山突然来临,他又无可奈何。泰山越走越近,一会儿的工夫已经来到帐前,他环顾了一下所有的人,最后把目光落在斯廷保身上,问道:"布莱克在哪里?"

斯廷保咕噜着说:"你应该知道,你怎么反问我?"

"自从你和他分手后,又见过他没有?"

"没有!"

泰山又追问了一句:"你说的是真话吗?"

"我说的当然是真话。"

泰山听完后,转身向伊本扎得说:"你对我撒了谎!你到这里来,不是为了正当的交易活动,你是想找到一个城堡,并且想在那里进行劫掠,你要抢那里的财宝和妇女!"

伊本扎得马上喊了起来:"这才是撒谎!不管是谁告诉你的,这都是谎话。"

泰山镇定地回答说:"不!我决不认为告诉我的人是在撒谎。告诉我这话的人,是一个诚实的年轻人。"

伊本扎得急不可耐地问道:"他是谁?"

"他的名字叫赞得。"

阿蒂亚听到这个名字,立即兴奋而感兴趣起来。

泰山继续说:"他告诉了我所有的这些事,还跟我说了许多别的事。"

伊本扎得很不高兴地问道:"他还告诉了你一些什么事?异教徒?"

泰山高声回答说:"他说有一个人偷了他的火枪,企图杀死你,伊本扎得,却嫁祸于他。"

法德不由得慌张起来,赶紧插进来说:"这是撒谎,就像他告诉你所有的事一样。"

伊本扎得听了这话,却坐在那里沉思起来,只见他双眉紧锁,脸色阴沉,后来他抬起头来,带着一副装出来的笑容,对泰山说:"看来,你轻信了这个年轻人,以为他告诉你的话都是真话,其实很荒唐,就像他以为应该杀死酋长一样荒唐。他的脑子素来有病,但是我从来不认为他有多危险,所以从不提防他。"

伊本扎得接着振振有词地说下去:"他欺骗了你,人猿泰山!我可以让我这儿所有的人作证,还有这位外教人斯廷保先生,他对我也是友好的,包括他在内,大家都可以证明此事。现在,我正遵守着你的吩咐,准备离开你的辖区,不然,我为什么要向北走呢?我正是要回我自己的土地上去呀!"

泰山反问道:"既然你说你遵守我的吩咐,那我就要问你了,你为什么把我抓起来?而且派了你的兄弟晚上来杀我?这都怎么解释?"

酋长赶紧狡辩说:"这你可冤枉我伊本扎得了,我是派我兄弟去割断捆绑你的皮条,好让你恢复自由,你却误解他要去杀你。后来就来了一只大象,把你带走了。"

泰山马上发出了质问:"照你这么说,好,那我问你,为什么你兄弟举起刀来的时候,却喊着'去死吧!异教徒!'难道一个人喊着这些话的时候,他是来表示仁爱的吗?"

托洛格听着牵涉到自己了,赶紧支吾地说:"那我只是跟你开个玩笑罢了。"

泰山严肃地说:"我现在又来到这儿了,这可不是开玩笑,我可以告诉你们,我的瓦齐里武士们,也正向这里走来,我们将一起看着你们上路,回你们的沙漠国土上去。"

伊本扎得赶快随声附和说:"这太好了,这正是我们希望的,请你问问这位异教徒先生，我说的是不是实话。我们已经迷了路，有你们来护送我们回去，这真是再好也不过的事了。而且，我们现在正处在加拉战士包围之中，他们的村长正在集中武士，看形势，我们可能很快就要受到他们的攻击了。"说到这里，他转向斯廷保，希望得到他的肯定，说："我说的不都是真话吗？异教徒先生？"

斯廷保马上答道："是的，他说的都是实话。"

泰山问道："你们真的要离开这里吗？不再在我的丛林里逗留了吗？不过，我要留在这里看着你们动身，你们明天就要走！在明天以前，你们必须给我安排一顶帐篷。今后不许说了不算，不准再有别的不诚实的行为了。"

伊本扎得赶紧保证说："这你无需担心，我一定做到。"然后他转脸向大帐里面，对内室的妇女们大声说："希儿法！阿蒂亚！去把赞得留下的那顶帐篷收拾一下，给这位丛林酋长老爷住。"

按照伊本扎得的吩咐，在距离酋长大帐不远的地方，两个妇女架起一顶黑色的帐篷，这就是准备给泰山住的，原来赞得的那顶帐篷。当主杆竖起来，阿蒂亚把它四周的拉索和桩子钉到地上以后，希儿法就回大帐干她的家务活去了，把她的女儿阿蒂亚留在那里整理四面的帐幕。

当希儿法走远后，阿蒂亚走到泰山面前轻声说："喂，异教徒先生！你见到过我的赞得了吗？他安全吗？"

"我把他留在一个村子里了。那里的村长会照看他的，直到你们的人回国经过那里的时候，他就能找到你们，和你们一起回去。现在，他很安全也很健康。"

那姑娘请求说:"请多告诉我一些有关他的事,异教徒先生!因为我心里渴望知道他的事。你是怎么遇见他的?当时在什么地方?"

泰山回答说:"他的老马被狮子拖走了,狮子几乎把你的爱人吃掉,我恰巧遇上,就把狮子杀死了。然后我把赞得送到一个村子里,这个村子的村长,正好是我的朋友。我知道赞得一个人是无法徒步安全地走出丛林的。我本来想让村子里的人送他走,但他要等你回来,一块儿回沙漠国土去。因此我同意他留在村子里。大概几个礼拜以后你就可以见到你的爱人了。"

阿蒂亚听着,眼泪从她的长睫毛下流了出来,这是快乐和感激的眼泪。她抓住泰山的手,一面吻着,一面喃喃地说:"你给了我生存的快乐,异教徒先生,因为你救了我的爱人,把他从危险中还给了我。"

这天晚上,弗朱安走过他主人的大帐时,看见伊本扎得和托洛格正坐在地毯上,在一块儿低声说着什么悄悄话。弗朱安深深了解这两个人,心里都没有什么好念头,不知道他们又在计划什么鬼点子。

在大帐的内室里,阿蒂亚正卷缩着身体,躺在睡席上,但是她无法入睡,她正在偷听父亲和叔叔的小声谈话。

只听到伊本扎得很坚定地说:"我们一定得把他赶走。"

托洛格却提出不同的意见,说:"但是他的瓦齐里人就要来了,如果他们发现泰山不在这里,我们怎么说呢?他们不会相信我们的,不管我们怎么解释,他们都会袭击我们。我听说他们可都是很可怕的武士。"

伊本扎得似乎有点生气了,只听他气哼哼地说:"该死的!如果他留在这儿,我们什么事也干不成,只好空手回去,白来一趟。"

托洛格担心这次又派他去,赶紧说:"你要是还派我去干,那么你就错了,兄长!我干过一次,已经足够了。"

伊本扎得说:"这次我不打算让你去,我还没想好,但我们总会找到办法的。难道除了我们两个人之外,就再没有人想摆脱这个自称是泰山的异教徒了吗?"尽管伊本扎得好像还没打好主意,在向托洛格要办法,其实在他老谋深算的心里,早已胸有成竹了。

托洛格忽然想起了什么,大声说:"我想出来了,在咱们这儿住着的那个异教徒,他也恨泰山!"

伊本扎得拍了一下手,点头说:"你这次可算说到点子上了,兄弟!"

托洛格提醒伊本扎得说:"可是,你别忘了,现在我们对他可仍负有责任啊!"

伊本扎得斩钉截铁地说:"只要把他干掉,管那么多呢!如果我们现在不干掉他,等明天巴顿多派的向导来了,那个丛林酋长肯定知道我们对他撒了谎,那我们的麻烦可就大了!不成!我们必须现在把他干掉,就在今天晚上!"

托洛格问道:"好吧,我们具体该怎么办呢?"

伊本扎得一边搓着两只手,脸上带着得意的微笑说:"好好听着,兄弟!我已经想好一个计划了……"其实,他不该那么得意,因为阿蒂亚正在聚精会神地听他们的谈话。如果伊本扎得脑后有两只眼睛,能看到那静静伏在身后帐幕下面的苗条身影的话,恐怕此时他就笑不出来了。

托洛格却催促他说:"说呀,伊本扎得,告诉我你的计划。"

"好吧!我们大家都知道,异教徒斯廷保也憎恨丛林酋长,斯廷保曾不止一次大声地表明过他这个想法,而且是在我们大帐里,当着众人的面。"

"你想派斯廷保去杀人猿泰山吗?"

伊本扎得承认说:"你猜得很对。"

托洛格这次又表示了不同的意见:"但是,怎么能摆脱我们的责任呢?他是在你的命令之下,而且是在你的帐篷里被杀死的呀!"

"等等,我不会明明白白地下令叫一个异教徒去杀另一个异教徒,我只是暗示他去干。当他真干了之后,我会装作勃然大怒,震怒于谋杀竟发生在我的营地里的样子,为了表明我的信誉,我会命令把谋杀者就地处决。这样一来,我们不是一箭双雕了吗?一下把这两个异教狗干净利落地全都干掉,在瓦齐里武士面前,也证明了我们确实是他们酋长的朋友。甚至在瓦齐里武士到来时,我们可以装着号啕大哭,表现出极度悲伤的样子。"

托洛格听了,高兴得有点忘乎所以,啧啧地称赞道:"安拉会赞赏我有这么聪明的哥哥!"

伊本扎得得意地下指示说:"那么,现在就去招呼那个异教徒斯廷保到这儿来吧!只让他一个人来,你先不忙进来,等我把想法告诉他,让他去执行之后,你再到我的大帐里来,咱们好商量下一步怎么进行。"

阿蒂亚在睡席上,父亲和叔叔商议的可怕计划她都听见了,吓得浑身发抖。当托洛格走出大帐时,他并没有发觉,一个苗条的身影尾随在他身后,消失在黑暗之中。

斯廷保被托洛格小心地招呼出法德的帐篷后,在黑暗中悄悄地向伊本扎得的大帐走去。他来到大帐前,伊本扎得正等着他。

伊本扎得见斯廷保进来,招呼他说:"坐下,异教徒先生!"

斯廷保粗野地问道:"有什么大事,你三更半夜把我叫起来?"

伊本扎得说道:"我和人猿泰山谈过了,因为你是我的朋友,而他并不是,所以我打发人叫你来,好告诉你他打算怎么对付你。他干涉我的全部计划,而且要把我从这里赶走。但他所有这些计划,比起对付你的手段,都算不了什么了。"

斯廷保问道:"他到底要干什么?他凭什么总要插手干涉别人的事?"

伊本扎得问道:"你不喜欢他吗?"

斯廷保咕噜着说:"我凭哪一点该喜欢他?"说完之后还骂了一句脏话。

伊本扎得神神秘秘地说:"我要是把一些事告诉你,你会更不喜欢他呢!"

"那么,就告诉我吧!"

伊本扎得说:"他说,你杀死了和你一块儿的黑人。因此,泰山明天要处死你。"

斯廷保又急又怒地吼道:"嗯?什么?杀我?他凭什么可以这

样干？他是什么人？一个罗马暴君吗？"

伊本扎得坚持地说："不管怎么说，泰山这个人既然说了，他就一定会去那么干，他在这里是非常有权威的，没有人会怀疑这个丛林酋长的力量。所以，我相信，他明天一定会杀死你。"

斯廷保这时已经吓得打起战来，说："可是，你不能让他这么干啊，是吧？伊本扎得！在你的营地里，你不能让他这样随心所欲啊！"

伊本扎得举起一只手，做了个无可奈何的手势说："你说，我能怎么办呢？如果惹恼了他，我的麻烦可就大了。"

被吓坏了的斯廷保，几乎要哭起来了："你能！你能！你肯定能做点什么。"

伊本扎得小声说："没有人能做得了什么，除非你自己了。"

"你这是什么意思？"

"现在，泰山正在他帐篷里睡觉，你不是有一把锋利的匕首吗？"

斯廷保明白了伊本扎得的意思，小声喃喃地说："我可从来没用匕首杀过人。"

酋长冷冷地提醒他说："可是，你也从来没有被别人杀过吧？要么，今天晚上你杀死他，要么，等明天他杀死你，事情就是这样明明白白地摆着的。"

斯廷保像被逼到墙角上了，倒抽了一口冷气说："上帝！"

伊本扎得站起身来说："现在夜已经很深了，我得去睡觉了。事情我已经跟你说明白，至于究竟该怎么做，就是你自己的事了。"说完他就转身回他大帐的内室去了。

这时,被吓坏了的斯廷保,脚步踉跄地向黑暗中走去。有好一会儿,他犹豫不定,最后,他悄然无声地趴在地上,慢慢地穿过黑暗,向人猿泰山的那座帐篷爬去。

但是在斯廷保的前面,阿蒂亚正向泰山的帐篷跑去,她要去给泰山送信,因为泰山曾经从狮子的獠牙底下救出过她心爱的人。她几乎就要到她白天刚刚支起来的那顶帐篷跟前,忽然从另一顶帐篷里窜出来一个黑影,从后面把她拦腰抱住,另一只手捂住了她的嘴,然后在她耳边低声说道:"你想到哪里去?"阿蒂亚一下子就听出这是她叔叔的声音。不过托洛格没等她回答,就说道:"你是要跑去警告那个异教徒,是不是?就因为他对你的情人很好,是不是?回到你父亲的大帐去!如果泰山知道了有人要杀他,那咱们大家都完了。滚!回你爸的大帐去!"然后,他把阿蒂亚向她刚才跑来的方向,猛力地一推。

这时,托洛格的嘴角上露出了一丝得意的微笑,他认为自己没费什么力量,就挫败了侄女的企图,而且,他认为这是安拉给他的一次绝好的机会,让他正好在这个位置上挡住了她的去路,从而使他们大家都免于一次毁灭性的灾难。但是,就在他摸着嘴上的短胡子,在黑暗中洋洋得意地微笑的时候,忽然有一只手从背后抓住了他的脖子,另一只手卡住了他的喉咙,他一声也没发出来,就被拖走了。

斯廷保头上一直冒着冷汗,战战兢兢地抓着一把锋利的匕首,穿过黑暗,向泰山的帐篷走去。他是个脾气很坏的人,粗暴却又胆小,现在,他并不情愿做犯罪的事。他浑身的每一根肌肉都处于紧张状态。他决不想去杀人,可他现在走投无路,眼前面临着死亡,只有这一条路可以逃生了。

　　他悄悄溜进人猿泰山的帐篷,准备去干他必须完成的大事。现在的他,已经成为一个危险可怕的家伙。他慢慢地向前爬过去,向着他要刺杀的、正躺在黑暗中的睡席上、披着阿拉伯长袍的身影摸去。

十四
宝剑与盾牌

当太阳照上了尼玛城塔楼尖顶的时候,山谷里还散发着破晓的潮气。一个年轻人在睡毯上刚刚醒来,用两只手揉着他睡意蒙□的双眼,伸了一个懒腰。他伸出手搭在睡在身旁的另一个年轻人肩上,推着他说:"醒醒,爱德华!快醒醒,你这个懒小子!"

爱德华翻了个身,一骨碌爬起来,打了个大大的哈欠:"嗯——?"

米歇尔催促他说:"起来,孩子!你忘了你的主人今天要去参加决定生死的比武了吗?"

爱德华猛地一下站了起来,这时他完全清醒了,他把眼睛睁得圆圆地说:"你别胡说!我的主人决不会死!你知道什么?"他显出对他主人的武艺有坚定信念的表情,大声说:"他一剑就能把马路德从头顶劈到半腰。我敢说,这里的武士,谁也没有詹姆斯老爷那样的力气,你刚才说的话,说明你对他太缺乏忠心了,米歇尔!作为查理爵士的朋友,詹姆斯老爷可是一位极好的、仁慈的、大家的朋友。你说,难道不是这样吗?"

米歇尔拍了拍爱德华的肩膀说:"我只是跟你开个玩笑,爱德华!别生气嘛!"过了一会儿他又继续说,"其实,我也在詹姆斯先生这一边,可是……"他停了一下又说,"我真担心……"

爱德华看他吞吞吐吐,就追问道:"你担心什么?"

"我担心詹姆斯先生使用盾牌和剑的技术并不纯熟,我怕他不一定能胜过马路德,即使他的力气很大很大,大到能抵得过十个人,但是,这对盾牌和剑的技巧,也未必有多大帮助。"

爱德华赌气地坚持说:"那咱们就走着瞧吧!"

这时从他身后传来一个声音说:"我看到詹姆斯先生有一个忠实的侍从。"他们转身一看,原来查理就站在他们的门口,"我们所有的朋友都希望詹姆斯先生今天的比武,能取得很好的成绩,不是吗?"

爱德华说:"我昨晚睡下以后,就祈祷我主耶稣保佑我主人的剑锋,能刺穿马路德的盔甲。"

"好极了,起来吧!马上去看看你主人的铠甲、马和马鞍等都准备好了没有,好让他准时进入竞技场。让他穿戴得像一个真正的尼玛武士一样。"查理作了这些指示以后,就走出去了。

这时正是二月的一个上午,大约到了十一点钟,太阳已经完全射进了尼玛城的高墙。在武士们光亮的铠甲上,和战士们锃亮的战斧的锋刃上,都反射出耀眼的光芒。同时,齐集在广场的妇女们使人眼花缭乱的五颜六色的长袍上,也反射出美丽的霞彩。这时,几乎全城的人都聚集到高墙里面的大广场上来了。

在广场的一侧,靠近中心塔的地方,搭起了一排高台,正中坐着亲王哥伯瑞,两侧坐着他的亲族和臣下,还有一些武士和妇女们,一直排到相当远的尽头。在他们身后,围站着许多不担任岗位值勤的士兵、自由民、围观者的最后排,才是奴隶们。这里应该说明一点,在哥伯瑞亲王的统治下,奴隶们也有不少有利于他们的权利。

在竞技场的两侧,各有一顶帐篷。周围都插满了彩旗,它们的颜色是根据主人的意愿制作的。一侧彩旗多为绿色和金色的,是属于马路德的标帜,另一侧多为蓝色和银色的,则是詹姆斯的标帜。

在帐篷前各站着一排士兵,他们都穿着一新。士兵手中的战斧闪闪发光。他们的旁边,站着马夫,各牵着一匹不安静的、时时抬脚踏地的华丽装饰的战马。这时,竞技者双方的扈从们,都正忙于战前的各种准备工作。

一位号手正把号嘴放在唇上,等待着命令,以便随时吹出嘹亮的号声,宣布双方进入竞技场。

大约在几码远,还有第二匹战马,它正不耐烦地用额头撞着马夫的后背,而且不时摇晃着头,好像要甩掉马缰。这些人都是竞技者的副手,在适当的时候,将骑着这些马进入场地。

在插满了蓝色和银色旗帜的帐篷前,布莱克和查理正骑在马上,后者正对布莱克作着各种指点。从他们两人的神色看,查理反而更显得紧张不安。布莱克的锁子甲一直扣到喉下,而他的头盔,则用豹皮条紧紧地扣在颔下,这样,就对他的头部构成了牢靠的保护。在他罩衣的胸前,有一个大大的红十字,而从他的肩部斜垂下来的,是蓝、银两色的玫瑰花徽章。在帐篷的柱子上,挂着布莱克的剑和盾牌。

现在广场上的观众,已经全部就座,或站到他们适宜的位置上了。亲王哥伯瑞瞥了一下太阳,对他身旁的武士吩咐了一句什么,于是这位武士就去通知号手,吹响了清晰而嘹亮的号声,号声在大墙之内回荡。广场两头的帐篷内外,立刻活跃起来,好像广场是一只大兽,用它的什么部位触动了马路德的帐篷,然后又触动了一下詹姆斯的帐篷,使它们都跟着一齐动起来。

爱德华激动地跑进跑出,把他主人的剑,替他挂在腰带上,然后又把盾牌提起来,用左手拿着,随着他的主人走出了帐篷。

当布莱克准备翻身上马时,爱德华为他抓着马镫,等詹姆斯稳稳地坐在马鞍上以后,爱德华把马镫套在他主人的脚尖上,抬起脸望着他的主人说:"我为你祈祷,詹姆斯先生!我知道你会胜利的。"

布莱克看着眼前这孩子的眼泪几乎要夺眶而出,他的嗓子也不禁哽咽了一下,说:"你是个好孩子,爱笛(爱德华的昵称)!我保证我不会让你丢脸!"

"詹姆斯先生!我相信你,即便是死,你也是一位值得称赞的武士,一位非常漂亮而高尚的武士。"爱德华一边说着,一边把盾牌交给了布莱克。

现在布莱克已经上了马,他打出了一个手势,表示他已经准备完毕了。一声嘹亮的号声首先从马路德的帐篷里吹了出来,这位高贵的骑士骑马在前,后面跟了一个武士。

布莱克的号手也吹响了号,宣布他的主人也进场了。这位美国人骑马在前,查理紧跟在后,他们正沿着广场的前沿纵马跑来。于是从看台的人群中,传来一片喊喊喳喳称赞双方对手的声音。比武的两个对手,都纵马来到哥伯瑞亲王的看台前。

双方骑士都勒住了自己的马,面向亲王。而且他们都举起了剑柄,放在各自的嘴上,吻了一下,表示对亲王致敬。哥伯瑞亲王提醒他们,在战斗中要表现得高尚一些,要像个真正武士的样子,还提醒他们,要遵守比武战斗的各项规则。此时布莱克的眼睛向亲王旁边扫了一下,他看到了闺娜塔公主的脸。

这位年轻的公主正坐得端端正正,她眼睛好像并没有看着前面的武士,而且看得出来她脸色很苍白。布莱克甚至想到,她是不是病了。

她真的很美丽,尽管她根本没看布莱克一眼,布莱克心里却觉得很满足了,毕竟她也没看马路德。

号角声再一次响起来,四位骑士转身让马缓步走向竞技场各自的一边。此时双方主角,都在马上静静地等待着比武开始的最后命令。这时,布莱克突然把拿着盾牌的手,从盾牌的皮带里缩了回来,然后把盾牌重重地扔在了地上。

爱德华大吃一惊地看着他说:"怎么了?我的骑士老爷?你是不是病了?还是昏了头?你怎么扔了你的盾牌?"然后他抓起了地上的盾牌,举起来要交给布莱克,尽管他看得很清楚,这盾牌不是失手掉下来的,而是布莱克有意把它扔在地上的。

对于被吓坏了的爱德华来说,他主人的这个行动,几乎等于说他准备下马认输,拒绝和马路德交手,以自动弃权承认对手的胜利使自己从此成为尼玛城人的谈资和笑料,今后也洗刷不掉所有人的歧视。尽管以爱德华对他主人的忠诚,一分钟也不愿意承认这种可能,然而主人的这个动作,除此以外,还能说明什么呢?

爱德华只好跑到查理面前,似乎想向他求助。此时查理还没有看见布莱克这个动作。这孩子以一种嘶哑的声音喊道:"查理!查理老爷!您快管一管,詹姆斯先生可要大祸临头了!"

查理喊道:"嗨!什么?你这个孩子是什么意思?"

爱德华回答说:"你没看见吗?他把盾牌扔到一边去了,他肯定会受到重伤,他没了盾牌,怎么保护自己呀?"

查理听明白了孩子的话,马上打马冲到布莱克身边,说:"你疯了吗?先生!你不能现在拒绝交手,除非你想让你的朋友也因你脸上无光!"

布莱克问道:"你这是从哪里说起?谁说我要退出比武?"

长官查理大声问道:"那么你的盾牌呢?"

亲王哥伯瑞座前的号手,恰好在这时受命,果断地吹起了开赛的号声,时间已经不容耽搁。

布莱克大声回答查理说:"那个该死的东西,太碍我的事了!"他一边说着,一边催马去迎战勇猛的马路德。查理不得不跟在他后面,正像马路德的副手也跟在马路德后面一样。

马路德早已看清了这一切,他嘴角上正挂着一丝自信的微笑,他时不时地用眼扫一下看台上的武士和女士。可是布莱克哪里也不看,一直催马向前,他的眼睛只紧紧地盯着他的对手。

双方的坐骑都开始奔跑起来,就在他们两匹马接近时,马路德猛踢了一下他的马。布莱克清楚地看出,对方想在第一个回合里就要让他措手不及,让他从一开始就慌了手脚。

马路德一面纵马,一面举起了右手的宝剑。而这时的布莱克却采取了一种持剑的守势,这种姿势是尼玛城的武士从来没有看见过的,因为他们从来都是用盾牌来进行防御的。

马上的两个武士,彼此都冲向对方的左侧,当他们眼看着就要遇到一起时,马路德踩着马镫站了起来,居高临下挥舞着他的剑准备劈下去,只要锋刃一转,就会在布莱克的头上造成致命的一击。

可是就在这一瞬间,有几个在广场上围观的人,突然发现了布莱克没有带着他的盾牌。于是他们喊起来说:"他的盾牌!詹姆斯先生没有盾牌!""不行!他丢掉了他的盾牌!"这时,几乎四面八方都有人惊讶地喊起来。就在离布莱克不远处,也就是哥伯瑞亲王的看台前,突然响起了一个女人的喊叫声:"盾牌!他的盾牌!"不过此时布莱克已经没有时间去看一看,这喊叫声是否发自闺娜塔公主了。

正当他们相遇时,布莱克突然纵马向马路德的马头冲去,两匹战马的肩膀猛撞了一下,这一撞,布莱克因身在马背上,用尽了全身力气,马路德这时却正站在马镫上,正处在极易失去平衡的状态,同时他左手正高举着盾牌,以防御对方袭击,所以,他已无法操纵自己的坐骑,应付这突然而来的撞击了。

马路德一下子失去了平衡,而且令他吃惊的是,他的一击,不仅是偏了方向,而且也失去了力量,竟完全错过了他原打算攻击的目标。

布莱克因为左手没有盾牌妨碍,立刻抓住缰绳,拨转马头向对方的左后侧冲去。他的剑尖挑开了马路德背后的锁子甲,在马路德还没来得及纵马逃开时,他的左肩已被刺了一下。

看台上的观众,对这样干净利索的一剑,发出了一片叫好声。而这时马路德的助手,却催马跑向了亲王的看台,提出了抗议。

他大声说:"詹姆斯先生不带盾牌,这是不公平的比武!"

哥伯瑞亲王说:"这似乎对你们更有利。"

马路德的助手杰瑞得却找借口说:"我们可不愿意占他这个便宜。"

哥伯瑞转向此时已经追到杰瑞得旁边的查理问道:"你怎么看这个问题?是不是詹姆斯遇到了什么意外,在进场之前,没能拿到盾牌?"

查理回答说:"不!是他自己把盾牌丢到一边的。而且他自己坚持说'这该死的东西太碍我的事了。'不过,如果杰瑞得长官觉得这样有失公平的话,那么我们愿意看到马路德爵士也扔掉盾牌。"

哥伯瑞亲王笑了笑说:"那么,这个办法倒也很公平。"

两个竞技手没有再与他们的副手商量或争论,马上又发起了另一次冲击。血从马路德的肩上流了出来,染红了他的衬衣和战马的甲胄。

现在看台上一片喧哗。有人呼喊着一个有盾牌,一个没有盾牌的问题,而另一些人则为詹姆斯先生干脆利落的剑术动作而欢呼,也有人在看台上忙着下赌注。此时还有不少人为马路德会战胜而投赌,为他下赌注的人现在还在领先,但从总数看来,给詹姆斯投赌的人,也不比他少多少。当人们手中的钱用完了之后,押宝石、押武器、押战马的人,也大有人在。有一位马路德的拥护者,在第一个回合中,就输掉了三匹战马。不过,截至目前,还有人为马路德下一赔十的赌注。

在第二个回合里,马路德嘴唇上的微笑已经没有了,他也不再去扫视看台上的人。他的眼睛几乎愤怒得冒出火来,再一次冲向布莱克,他认为上一次布莱克的得手只是偶然侥幸地沾了丢掉盾牌的光。

布莱克由于没有盾牌的拖累,可以灵活地操纵他那匹虽不膘满肉肥但很强壮的战马。自从他到尼玛来,就一直骑着它在场地上训练,如今,他与马之间已经非常默契了。

这一回合交手,马路德还是不那么顺利,他又一次看到自己的剑在一闪之间,被挡到一边,而他的对手却毫无伤损。尤其让他大吃一惊的是,詹姆斯先生的剑尖,竟然从他盾牌的侧面,又挑开了他的锁子甲。尽管这一次刺得并不太重,可是,他毕竟又被刺伤了,而且感到很疼,还流了血。

这时,马路德已经怒不可遏。他又向布莱克发起了进攻,这次布莱克仍旧灵活地催动他的战马,迅速地绕到了马路德的背后,不等马路德勒马转身,布莱克从背后给了他一剑,这一剑直劈到马路德的头盔上。

这一剑显然并不想置马路德于死地,它只是给了马路德头部一震。马路德被震得两眼直冒金星,他气愤极了,猛地拨转马头,全力催马向布莱克冲去。他们的两匹马,几乎就在哥伯瑞亲王的看台前相遇。这时,双方的剑劈来挡去,看得人眼花缭乱。忽然,使观众大吃一惊的事发生了,素来以技能高强而自豪的马路德,这位高贵武士的宝剑,被布莱克用力一挡,竟脱手飞开去了,而且猛地插到了地上。此时此刻,马路德把自己的生命完全交给了对手的仁慈。

马路德不由得从马镫上站了起来,束手无策地等待着。他清楚地知道,布莱克也完全明白,按照比赛的规定,对战的双方,一方处于被打落武器的情况下,只有请求对方的怜悯了,而且,布莱克理应拥有胜利者的骄傲。

这时的马路德并没有作出求饶的表示,他骄傲地坐在他的战马上,等待布莱克冲过来把他杀掉。看台上此时一片寂静,甚至连战马的牙齿磨马嚼环的声音,都听得清清楚楚。只见布莱克转身对身后的杰瑞得说道:"叫一位扈从来,武士先生!把马路德爵士的剑捡起来,交给他。"这时看台上传出一片惊讶的称赞声。但是布莱克只是把背向着看台,对于那里发出的喧嚣,他看都不看一眼。却骑马缓步走到查理身边,容出时间来,好让他的对手重新武装起来。

他轻松地、半开玩笑地问查理:"我的老师!你看,在这么长的时间里,我想弄一打盾牌来,恐怕都够了吧?"

查理不由得大笑起来说:"你不过太幸运罢了,我想,假如有一个剑术更好的武士,也许早把你这个不拿盾牌的家伙干掉了。"

布莱克说:"我想马路德会这么干的,如果我也带着这么个大圆家伙的话。"布莱克肯定了查理的意思,虽然查理不一定能懂。因为他常常绞尽脑汁也搞不懂布莱克的美语是什么意思。

现在,马路德重新拿起了武器,纵马停到布莱克面前,并且向他鞠了一躬说:"我向高贵和大度的武士致敬!"这时他的语气里稍微带了一点儿亲切。

布莱克回礼说:"你准备好了吗?先生?"

马路德点了点头。

布莱克猛地说道:"那么接剑！"

有一小会儿工夫,两个对手都作好了攻击的准备。布莱克虚晃一剑,而马路德却举起盾牌来,挡在他的面前,迎着布莱克劈过来的一剑。但这一剑却没有落下来,当马路德放下盾牌想看个究竟时,这一剑却落下来了,又是重重地砍在马路德的头盔上。

马路德被这毫无防备的猛力一震,他的胳膊突然僵直地落下来,接着就从马鞍上颓然倒下,滚落到了地上。布莱克尽管穿着很重的铠甲,还是很敏捷地跳下马来,走到他的对手跟前,此时的马路德正好躺在哥伯瑞亲王看台前的地上,布莱克一只脚踏在马路德的前胸上,把剑尖直逼到他的咽喉部位。

围观的人都伸长了脖子,或俯身向前,想看看这致命的一击究竟是怎么下去的。但是布莱克并没有把他的剑尖直刺下去,他抬起头来看着哥伯瑞亲王说:"马路德爵士是一位勇敢的武士,我和他没有什么不可解的争吵,我愿意听凭你的吩咐,饶他一命,这样做,也为了那些爱他的人。"说着,他直视了闺娜塔公主一眼。然后,他转身沿着看台,大步走向自己的帐篷。这时,查理也骑在马上,缓步地跟在他的后面。那些武士、女士、士兵、自由民和奴隶,也都从他们的座位上站起来,挤向前面,欢呼赞扬这位英雄的胜利。他的大度,出乎了所有人的意外,正因为这个原因,欢呼声更为响亮。

爱德华高兴地跑到了布莱克身边,他和米歇尔一样高兴。爱德华跪下一条腿,拥抱着布莱克的腿,又吻着他的手,高兴得掉下泪来,他的激动和高兴是那样真诚。他大声说:"我知道,我知道,我不是说过吗？我们的武士老爷,一定会打败马路德！"

布莱克帐篷前的士兵、号手和马夫，都高兴得合不拢嘴，尽管在几分钟之前，他们还觉得他们被分派到明显要失败的一方，而感到不愉快。但现在形势大大地改变了，他们都大为布莱克骄傲，甚至把他看作是尼玛最伟大的英雄，自己似乎也有了在同伴中间大吹特吹的本钱，布莱克的这种英雄壮举，成了他们站在松木桌前畅饮啤酒时的谈资。

爱德华帮着布莱克卸掉他的铠甲，米歇尔帮助布莱克排开众人，挤开那些喋喋不休地发问的年轻人。布莱克身边的人群，几乎无法控制自己了，他们的喜悦几乎都加倍了，因为比武的结果，太出乎他们意料了。

接下来，布莱克直接回到了他的住处，查理也同他一道回来。当只剩下他们两人时，查理亲切地把一只手放在布莱克的肩上说：“你做了一件高尚而且有骑士风范的事，我的朋友！但我却认为，这件事你做得不一定聪明。”

布莱克奇怪地问道：“为什么？那么，你认为当他无法抵抗的时候，我不应该放他一马，是吗？”

查理摇摇头说：“如果他处在你的地位上，他决不会放过你，这就是他的做法。”

布莱克不假思索地解释说：“那么我告诉你，我绝不能像他那样杀死一个没有抵抗能力的人。在我们那里，从小就被教导这样做是不道德的。”

查理说：“也许你误以为你们之间的矛盾，并不像表面看来那么深，所以你才这样宽宏大量。可是你要知道，马路德可和你不一样，他是个气量狭小，又爱嫉妒的人。他会记恨你的，这种嫉妒心绝不会因为你今天留他一命而减少，他更不会对你感恩戴德。你如果想摆脱一个像他那样有权势而又危险的敌人，就是应该最后给他一剑，因为这是你的权利。而现在你弄伤了他，又让他当众出了丑，等于给自己树立了一个很危险的敌人，他的仇恨和嫉妒心会加倍地增加，谁叫你胜过了他！你让他活着，成了一个失败的笑柄。詹姆斯！马路德以后是不会放过你的，我太了解他这个人了。"

武士和女士，这会儿都回到了哥伯瑞的城堡，在一个大厅里巨大的餐桌前就餐。这个大餐桌至少可以容纳三百多人同时就餐，大厅里却没有足够的侍者以满足就餐者的需要。烤猪被一只大木盘装着整个抬了来，同时还有整条的羊腿，野味的排骨，以及大碗的美味蔬菜，当然也有红酒和啤酒等等，在桌子的一端，还摆着各色的布丁。

这时在餐桌旁，到处能听见欢声笑语，当詹姆斯先生在餐桌的下首一端远远地就坐时，呈现在他面前的，是一派热烈的，令人神魂颠倒的气氛。今天，他仍坐在他的老位置上，这个老位置表示他只是尼玛城武士群中的一个新手。

马路德和布莱克的比武，在这里当然成了热门话题，许多赞美的话，都送到了布莱克的耳边。也有些人向他提出了许多问题，例如他是在什么地方，又是怎样学到这样奇妙的剑术的？尽管比武的全过程他们都看得一清二楚，但是他们还是很难相信一个不带盾牌的人，怎么能战胜一个手执盾牌的武士，因为他们从来都认为盾牌是一种不可或缺的，保护自己的基本工具。

哥伯瑞亲王和他的家族，以及尼玛城高贵的士族们坐在一起，他们的桌子略高于其他的桌子。从这张桌子中间伸出一条长桌，一直通向远处的一端。整个桌面呈一个"T"字形，这样一来，哥伯瑞亲王就可以向桌前的任何一个人发问或交谈了，尽管有的人坐得稍远一点，他只要略微提高一点声音就成了。不过餐桌边如果谈话的人多了，整个大厅就会形成一种乱糟糟的喧嚣声。

因为布莱克坐在远离亲王一端的餐桌前，亲王如果有什么话要跟布莱克说，他就必须提高嗓门不可。当大家发现亲王要向远处的什么人说话时，其他的人就停止说话，或降低他们的声音，以表示尊重。除非他们都喝得烂醉如泥了，才顾不得这一礼节。

参加宴会的人坐好以后，哥伯瑞亲王就站起来，并举起他的酒杯，于是大厅里立刻一片寂静，有的武士们和女士们都站起来，并面向亲王。

哥伯瑞亲王高声说道："我们的君王万岁！英国的查理万岁！"

于是大厅里所有的人都跟着哥伯瑞亲王齐声发出雷鸣般的欢呼，共同赞颂先祖狮心王查理一世，尽管此时离他逝世已经有728年之久了。然后，大家都为亲王哥伯瑞和王后比瑞尼塔干杯，最后又为公主闺娜塔祝酒。每一次祝酒，随着亲王的声音，以及为整个王族的祝贺，在亲王的周围都响起隆隆的回响。

最后，亲王又一次站了起来，大声说："祝贺！祝贺今天在竞技场上表现出高尚勇敢骑士精神的詹姆斯先生！圣殿骑士，而且今天已经成为尼玛武士了。"

甚至连查理一世也未必受到过今天对詹姆斯这样的祝酒后

的热情喝彩。在这座长长的大厅中，布莱克的眼光，一直向闺娜塔公主那个方向望去，他看到她也在为他祝贺而举杯，詹姆斯也注意到，公主的眼光也在向他这面看。但是，他们之间的距离毕竟太远了，插在大厅墙上的火炬和油灯也不是十分明亮，所以布莱克也无法断定闺娜塔的目光中，含着的究竟是友好还是厌恶。

当喧闹声逐渐平息下来，武士们都回到席位上以后，突然，布莱克站了起来。

他用大得使整个大厅都能听见的声音说："哥伯瑞亲王！武士阁下们！尼玛的女士们！我提议我们为马路德爵士的英勇精神再干一杯！"

哥伯瑞亲王听了这话，因为他站的地方距布莱克相当远，所以他几乎在大厅里高声喊着说："你真是一位奇怪的武士先生，你的言词也有些奇怪，而更奇怪的是你的行为方式，詹姆斯先生！尽管你在祝酒时说'干杯'，你把你的朋友称作'伙计'或'小伙子'，但我觉得，我们还是可以互相了解。我对你的国土愿意了解得更多一些，也更想知道你们那里高贵的武士们是怎样生活的。"

"请告诉我们，你们那里的武士都是像你这样有骑士风度，都宽宏大量地对待被打倒的敌手的吗？"

布莱克大声解释说："如果有人不这样做，那么他会被人嘘。"

哥伯瑞不解地询问道："被嘘？那么，我想，这是一种惩罚啦？"

"你说得对，亲王陛下！"

亲王大声地打断了他："我当然说得对,詹姆斯先生！"

"亲王阁下！你一下就猜中了我的意思,你把被嘘看作是一种惩罚,是一点也不错的。你一开始就猜对了,嘘声,可以说是对拳台武士唯一的惩罚方式了。"

"拳台武士?这又是什么意思?关于你说的这个武士的种类,我却是不知道的,他们都是勇猛的武士吧?"

"他们有些是勇猛的。例如武士邓普西(美国二十世纪初重量级拳击手),是一位钻石武士,他即使失败了,也不会乱了方寸,这一点,比胜利时更难做到。"

哥伯瑞问道:"除了你刚才说的拳台武士,还有别的武士吗?"

"有的,我们那里的武士多得像虱子一样。"

哥伯瑞问道:"什么?"

布莱克又重复解释了一遍:"如今,我们那里全都是武士。"

"都是武士吗?难道就没有奴隶和侍从?这真让人难以相信！"

"不！在海军里有一些侍从,但是我们其余的人几乎全部都是武士。你看,自从查理的时代以来,世事已有了很大改变,人民改变了许多老事物。他们对古板的武士精神,有时也免不了会加以嘲笑,可是随着时代的进步,他们又有了新的武士。现在我们有了,举例来说,皮西厄斯骑士团、哥伦布骑士团、劳动骑士团[①]等等,还有许多我说不上名字来的种类。"

[①] 前两者是美国有名的教会互助团体,后者是著名的劳工组织,它们的名称直译都是骑士团。

哥伯瑞大声说:"我想,那一定是一个高贵的世界,不过我想,在这么多不同的武士和骑士之间,他们免不了会有些矛盾和对抗,难道不是这样吗?"

布莱克表示同意说:"是的,他们之间是会时时争吵。"

十五
一座寂寞的孤坟

在黑暗的帐篷中，斯廷保几乎什么也看不见。他侧耳细听，只能听见离他不远的地方有一个人的呼吸声。这个人的呼吸声很大，但又不像熟睡的打鼾，不知是做噩梦了，还是睡姿不舒服，总之呼吸并不顺畅，带着吭吭哧哧的声音。斯廷保此行虽是杀人，但自己却吓得不得了。他把四肢趴伏在地上，停了一小会儿。略微镇静之后。听了听没有别的动静，然后手膝并用，一尺一尺地向前爬去。

他先伸出一只手去摸，终于摸到了一个平卧的身体。他继续小心地轻轻地向前摸索，直到他真正弄清楚了他要杀的那个人的准确位置。他一只手抓牢了锋利的匕首，连大气也不敢出，生怕惊醒了人猿泰山，因为他心里十分清楚，只要人猿泰山醒了，他决不是对手。他盼望泰山现在睡得死死的，而且暗暗祈祷自己一刀就刺准他的心脏。

现在，斯廷保已经完全准备好了，他已经量准了第一刀该刺下去的地方，于是他举起刀，狠狠地下了手。那人似乎痉挛了几下。他既已下了刀，就一次又一次地，带着野蛮而狠毒的力度，深深地刺进那个躺着的身体。斯廷保感觉到一股股热血喷射到他的手上、腕上。

最后,他觉得那个人确实死了,伊本扎得给他的使命已经完成了,于是他从帐篷里溜了出来。不过,他现在可真是恐惧极了,他的两条腿打着战,几乎都有点站不住了。他的心剧烈地跳动着,他对自己刚刚犯下的罪行,充满了憎恶的感觉。

他大睁着两只眼睛,跟跟跄跄地闯进了伊本扎得的大帐,他感到,自己全身的力气似乎都已经用完了,他站立不稳,一下子就跌倒在地毯上了。酋长从女人居住的大帐后室走了出来,在昏暗的灯光下,看着那个浑身血污颤抖着躺在地上的人,好像他什么事都不知道似的问道:"你到这里来干什么?异教徒先生?"

斯廷保含糊地有气无力地回答说:"我把他干掉了,伊本扎得!"

酋长忽然改变了腔调,厉声问道:"你干掉了什么?"

"我杀掉了人猿泰山啊!"

伊本扎得装出吃惊的样子喊道:"咳!托洛格!你在哪儿?希尔法!阿蒂亚!你们都快来,听听这个异教徒说了些什么!"

希尔法和阿蒂亚都冲进了大帐的前室。

伊本扎得又把他的话重复了一遍:"你们听见他说了什么吗?他杀死了我们的好友,丛林大酋长泰山!托洛格!法德!你们快来!"

他的声音越来越高,到后来几乎到了呼喊的程度。阿拉伯人都从他们的帐篷涌了出来,从四面八方冲向酋长的大帐。

斯廷保此时被弄得昏头昏脑,伊本扎得态度的突然改变是他完全料想不到的,他不知道下一步还会发生什么,惊吓得茫然不知所措了，趴在大帐的地毯上，什么话也说不出来。

酋长对跑进来的人大声喊道："把他抓起来！他杀死了我们伟大的朋友，人猿泰山！可是，正是人猿泰山，才把我们安全地领进了他的土地，并且一直保护着我们。如果没有泰山，我们寸步难行，处处都会遇到敌人的。现在糟了，泰山死在我们这儿了，那么，泰山所有的朋友，都会成为我们的敌人，他们会杀死我们的。安拉！请你来作证，我和这件罪行，可一点关系也没有，让安拉的愤怒，和泰山友人的愤怒，都降临到这个罪人身上吧！"

这时，几乎所有营地里的人，都来到了大帐的前面，他们从来都找不到任何证据能证明他们的酋长爱过泰山，现在酋长却突然冒出了这样的说法，大家都觉得十分惊讶，不可理解。

伊本扎得命令说："把他带走！等明天早晨，我们再一起商量决定该怎么办。"

人们把吓坏了的斯廷保连推带拖地弄到了法德的帐篷里，然后把他的手脚都捆绑起来，留给法德看管。

当大家都走了之后，法德伏在斯廷保的耳朵边，小声地问道："你确实把丛林酋长杀了吗？"

斯廷保也小声回答说："伊本扎得强迫我去杀的他，现在他又不认账，转过来陷害我。"

法德说："我估计明天他将杀死你，这样，他就可以对泰山的朋友们说，他已经惩罚了杀死泰山的人了。"

斯廷保赶忙恳求说："救救我吧！法德！你如果救了我，我答应给你两千万法郎，我发誓一定做到。只要我一旦安全到达距此最近的欧洲殖民地，我就把这笔钱给你。想想吧，法德！两千万法郎啊,是怎样的一个数目!"

这个贝都因人转了一阵眼珠,回答说:"我可以考虑你的条件,异教徒!不过,我认为你在说谎,我不相信你会有那么多钱!谁见过这么大的一笔钱?"

"我发誓我有十倍这么多的钱!如果我骗了你,你就杀死我。我说的是真话,救救我吧!救救我吧!"

法德低声咕噜着说:"两千万法郎?!他或许真的没有撒谎,那么,听着,异教徒!我不知道我能不能救你,不过我可以试一试。可是,咱俩得把话说在前头,假如我救了你,你却不兑现你的诺言,不拿两千万法郎给我,我可是非杀死你不可!我会和你一道穿过丛林,到海岸去。你明白吗?"

伊本扎得叫来两个不知内情的奴隶,命令他们到赞得的帐篷里,把泰山的尸体运到营地的外边,挖个坑,把它埋起来。

这两个奴隶拿了一盏灯笼,到了那座有死人的帐篷里,那死人身上已经盖着一件阿拉伯的白布罩衫,他们顺便就用罩衫把他卷了起来,然后两个人把他抬到营地外不远处,挖了一个不太深的坑,就这样简简单单、潦潦草草,准备把这位丛林之王,埋葬在这片可爱的土地上。

两个奴隶挖好了坑,把尸体抬来,连推带滚地扔进了坑里,然后把挖出来的土又填进去,形成了一座不大不小的土堆。最后,他们连什么记号都没留,就把这座寂寞的孤零零的新坟,留在了丛林的边上。

第二天早上,伊本扎得把族中的年长者召集了来。等人到齐了之后,才发现托洛格没有来,法德猜想他可能一早就出去打猎了。

伊本扎得开始向大家解释说,如果大家不想惹恼泰山的朋友们,那就必须采取措施来证明,在这里的所有的人,谁也不应该负杀死泰山的责任。为了达到这个目的,就应该先杀死那个真正谋杀了泰山的人,以此证明大家的无辜。

这件事,说服大家并不难,因为杀死一个基督徒,也就是异教徒,对贝都因来说是太无所谓了。不过,在众人中只有一个人提出异议,那就是法德。

法德说:"我认为这样做不妥,伊本扎得!有两个理由,我们不宜杀死这个异教徒。"

有一个老年族人,听了法德的话大声说:"我的老天!我看凡是信安拉的人,没有什么理由不可以杀死一个异教徒。"

法德继续劝说道:"我脑子里的想法,只要我说出来,相信你们一定会同意的。"

伊本扎得说:"那么你就说吧,法德!"

法德慢条斯理地开始说了:"据我了解,这个异教徒在他的国土上,是一个有钱有势的人,如果我们能饶他不死,那么,他完全能够付给我们一大笔赎金。现在假设,倘若在我们离开这块可诅咒的土地以前,有一种侥幸的可能,那就是泰山的朋友们还不知道他已经死了,那我们何必非杀死这个人,而失去捞一大笔钱的机会呢?何况,如果我们现在就杀死斯廷保,以后见了泰山的朋友们,我们说泰山是被他杀死的,而我们又把他杀了,弄个死无对证,只凭我们一面之词,说是替泰山报了仇,对方要是不相信我们,我们有什么办法?真到了那个时候,我们不是连个证据也没有了吗？"

他停了一会儿，环顾了一下大家，又接着说："可是，如果我们让他活下来，直到泰山的朋友们真正来了，我们说泰山就是他杀的，所以我们把他囚禁了起来，然后把他交给泰山的朋友们，由他们亲手去为泰山报仇，那岂不是更合适些吗？"

伊本扎得有点被他说动了，表示同意说："你的话听起来不是没有道理。可是，倘若这个异教徒一口咬定不承认了，反咬我们一口，那又怎么办？如果泰山的朋友们相信他，而不相信我们，那又怎么办？"

这时，一位年纪大的贝都因人插进来说："这好办，我们把他的舌头割掉就行了，这样，他就无法作于我们不利的伪证了。"

伊本扎得非常高兴地说："好得很！这次你可说到点子上了。"

法德可急了，忙大声喊着说："不能这么做！我们必须好好地待他，直到他把高额的赎金交给我们为止。"

伊本扎得想了想说："好吧。那我们就等到最后一刻，如果我们拿不到赎金，或者他要逃跑，到那时我们再割掉他的舌头也不迟。"

就这样，威廉·斯廷保的命运究竟会怎么样，就完全交给上帝了。而伊本扎得认为泰山已死，他可以把心思完全放在进山谷的事情上了。于是伊本扎得率领着一支强有力的队伍，准备亲自去与加拉人的酋长进行一次谈判。

当他们走近巴顿多的村子，他们已经穿过了近千座加拉人的小帐篷。伊本扎得早就听说过加拉酋长正在召集他的武士，在他脑子里，原先还是模模糊糊的，现在，在他眼前却变得越来越真实起来。他渐渐觉得,自己的命运,变得越来越不能掌握在自己手中了。看来,形势对他不利,即使往好的方面说,加拉酋长不论提出什么条件,他都只有接受的份了。

巴顿多对他的接待,还算足够有礼貌,尽管他面容上表现得相当威严,但毕竟答应了明天送他们到山谷的入口处。但是有一个条件,那就是伊本扎得必须把过去掠去的加拉奴隶,全数退还。

伊本扎得要求说:"如果把加拉奴隶都交还给你们,我们就既没有挑夫也没有仆人了,那样,势必会大大减少我们这支队伍的力量,能不能等我们出来之后再还给你们?"

巴顿多只耸了一下肩膀,表示一点商量的余地也没有,他虽没说什么,但脸上的表情仿佛是说:"你们的事我管不着。"

贝都因酋长似乎不死心,又一遍试探着恳求说:"让他们暂时留下来和我们在一起吧!等我们从山谷里回来,一定还给你们,怎么样?"

巴顿多斩钉截铁地说:"不行!一个加拉人都不能留给你们,必须让他们现在就回到我们这边来!"

第二天一大早,伊本扎得的所有帐篷都接到开拔的信号了,也就是说,大家都准备出发了。但是,他们突然发现,他们已完全被加拉武士包围起来了,他们不敢多言,依然弓矛齐备,准备好动身。于是他们这支队伍,被加拉人簇拥着,向那座怪石嵯峨的石山进发,那里正是山谷的入口处。

弗朱安和别的被阿拉伯人从厄瓜多尔带来的加拉奴隶都非常高兴。他们现在是跟着自己人在前进了,他们为这种重新找回来的自由而兴高采烈。斯廷保却是孤独的,他一个朋友都没有,

他们突然发现已经被加拉武士包围了起来。

心里充满了恐惧,在两个贝都因人的看守下,磨磨蹭蹭地前进。他非常后悔,自己不该杀害那个被寂寞地埋在坟墓里的人,他甚至为杀死了这个人而害怕。这支队伍,随着古老的小道蜿蜒曲折地走着,这可真是一条古老的小路,它有时似乎有路,有时又像没有路。阿拉伯人和他们的"护送者"不断地向上走去,地势越来越高。这些地势较高的石山围着的正是圣墓谷。到了第二天傍晚,当他们这支队伍来到一处山溪旁,准备安营扎寨时,巴顿多来到了伊本扎得的身旁,指着远处石沟旁的一个山口,对伊本扎得说:"就从这里,有一条路进入山谷,我们已经把你们送到了,那么就按照原先说好的,我们将回自己的村庄去了。明天早上我们就要动身了。"

第二天,当太阳升起来的时候,伊本扎得发现,所有的加拉人,昨天夜里都不声不响地走光了。他们根本不知道这些加拉人是害怕那个神秘山谷里的居民,因为他根本不知道,凡是进入山谷的加拉人,从来没有一个人生还过。

伊本扎得只好用这一整天的时间来安置一个新的安全的营地。他把老弱妇孺安排在营地里,以便等待他和武士们经历冒险之后从山谷里回来。他希望等他回来的时候,能看见这些人还安全地留在这里。

他挑选了几个健康的老年人和半大的孩子们,让他们来保护营地,而让那些青壮年的战士随他前往。

不久,留在营地的人就看见他们这支队伍的后尾,消失在远处的丛莽和山石中了。

十六
大比武

圣墓城的王叫鲍汉。两天前,他率领着许多武士、侍从,骑着马,从圣墓山谷的城堡里出发,穿过平原来到尼玛城前。他们是来参加每年一度的大比武的。大比武每年都是从四月斋中的头一个星期日开始的。

鲜艳而多彩的三角旗,在每一支矛头上飘扬着。这些旗子的颜色和色彩斑斓的马衣、富丽的马饰色调相得益彰。在高大的马上,乘骑的都是圣墓城的骑士们,在他们的外衣背部,都绣着一个红色的十字架,表示他们已完成了圣地朝圣的使命,准备返回英格兰家乡了。

他们所戴的尖顶头盔,和尼玛城的武士不同,是用牛皮做成的。他们盾牌的装饰颜色也各有差异。他们背后的红十字和这些装饰是他们和尼玛武士的显著区别。

另外还有一些强壮的驯马,也打扮得和武士的战马一样华丽,这些马上有些骑着侯爵,有些则驮着帐篷,这些帐篷是为武士们在大比武中居住用的。有的马上也安放着他们的用具,他们特殊的武器,以及足够三天比武的给养和粮秣。按照习惯,已经有七个多世纪禁止尼玛武士和圣墓武士一起进餐了。

大比武并不是真正的战事,并不伤及非战斗人员和平民,而是从古以来的武艺比赛。按照特殊的规则,使这种比赛成为一种华丽的庆典和勇猛武艺的展示。还有一条规定,就是不许双方参与战斗的武士建立友谊与交往,因为双方都有战死的可能,这种关系会有碍于比赛。在大比武中表现英勇的人物将得到重赏。

这种奖赏,无疑加大了双方七个世纪以来的对立,使得先锋和后卫之间的分裂越来越不易愈合。这种所谓的奖赏,除了物资之外,还包含着五位女士,她们将被胜利的一方带回城堡,而且从此不再与她们的亲友见面。

这些不幸而美丽的姑娘心理上往往是矛盾的,她们当然会因为从此离开亲人而悲伤,但由于骑士生活的习惯和种种法律规定,她们也将得到一些荣誉,这可以稍稍减轻她们的悲伤。不过说到底,她们是失败一方的赔偿物。

随着这种锦标赛式的比武形式,这些姑娘就成为了特殊的赌注,这一点,不论对于哥伯瑞一方,还是鲍汉一方,都是如此。按规定,分出胜负之后,胜利一方的武士,就将举行婚礼。

这种风俗不知是哥伯瑞还是鲍汉的先祖想出来的,从最早制定到现在已经有七个多世纪了。它的形成无疑是基于一种聪明的愿望,好处有两个:其一是通过通婚,使得后裔的体魄更加强壮,精力充沛;其二是可以防止两个城市由于习惯和语言的差异而产生隔阂。

在尼玛城里,有不少幸福的妻子是出生于圣墓城的,同样,在圣墓城里也是如此。她们被赢过来之后,似乎很快就会习惯了,很少有长期思念故土的。而且,每年被选中的五位姑娘,都加冠着一种难得的荣誉，所以每年自愿参加的姑娘比实际需要的多得多。

今年由圣墓城选中作为奖赏的五位姑娘都骑在高大的驯马上，由一些身披银甲的高贵武士护卫，这些姑娘都是从圣墓城挑选出的最美丽女孩子。她们衣着华丽，佩戴着金银甚至宝石的装饰品。

在尼玛城前面较平坦的地上，对大比武已经作了多日的准备。竞技场做过了多次的整理，场地被大圆木碾得十分平整。古老的石砌看台现在也都整饬一新。看台上搭起了一个天篷，以便为贵宾座和包厢遮阳。竞技场的外沿一圈，插起了上千根带各色三角旗的旗杆。这里的一切准备工作，都是由城里和碉堡里的工人完成的。他们有些人现在还在工作，因为从那里不时传出一阵叮当声，他们似乎在打造金属物，如钉耙之类的东西，也许还有矛头、锁子甲等等，总之，这声音往往一直响到深夜。

布莱克认为自己一定会在大比武中有一席之地，所以也像以前在大学里足球赛或马球赛之前一样摩拳擦掌，渴望着上场一试身手。他有两场剑术比赛，一场是由五位尼玛城的武士和五位圣墓城的武士对阵，另一场则是一对一的斗剑。因为他的长矛使得并不怎么样，所以唯一对布莱克有所挑战的是终场决赛：长矛比试，由一百名尼玛城的武士对一百名圣墓城的武士。与马路德交锋前他并不被看好的剑术此时被哥伯瑞亲王寄予了要为自己赢得分数的厚望。

鲍汉王和他的武士们在一处橡树林中扎营，距竞技场北面大约也就是一英里左右。按照大比武的规定，在第一天比赛正式进场之前,任何人是不能走进竞技场的。

布莱克现在也正在做大比武的准备工作。按照习惯,武士们这几天应该穿上特制的铠甲,他们的坐骑也应佩戴相应的装饰。这次布莱克的锁子甲完全选用了深黑色,只有头盔是用豹皮做的,在颜色上似乎作了一点突出。他的长矛上,饰以银蓝色的小三角旗,这样一来,也对他的全身严肃色调,起了一点调和作用。他的坐骑也是一匹黑马,黑色的马衣上,也镶了银蓝色的边。在他罩衣的前胸上和马衣上,当然也照例绣上了红十字。

比武开始的那天早上,布莱克从住处出来,爱德华拿着他的长矛和盾牌跟在后面,这时,他在众多装饰华丽的武士和五彩斑斓的马饰中,显得过分严肃而突出,全场里他十分惹眼。这时,有许多衣着豪华美丽的妇女,也聚集在大院中,她们在等待着上马的命令,这些女士的马匹,都由马夫牵在北墙外的。

布莱克的一身黑色装束,确实有些特别,很快就引起了许多人的注意。在这个场子里,他几乎成了武士们和女士们众望所归的人物,不一会儿,他周围就聚集起了不少人。但大家对他这一套装束持有不同的意见,有些人持赞赏的态度,而另一些人却认为这颜色显得过分沉郁和严肃。

闰娜塔公主也在这里,她正坐在一条长凳上,和一位挑选出来作为尼玛城奖赏的女子在谈话。布莱克很快从武士群中抽身出来,穿过庭院,走向闰娜塔坐着的地方。当他走到近处,并且向公主鞠躬致敬时,闰娜塔只略微侧了一下身子,微微点了点头作为答礼,然后继续与那位女士谈话。公主态度的冷淡十分明显,不容布莱克有任何一点点的误解。但布莱克对公主的淡漠,似乎

他的坐骑也是一匹黑马，马衣镶了银蓝色的边。

并不在乎,他不肯就此罢休,还要作进一步的试探。他在猜想,公主对他冷淡的原因是什么,是不是因为他和马路德比武之前,公主曾表示对他关切,建议他换用武器,而他没有采纳公主的意见,公主因此余怒未消呢?除此之外,是不是还有别的原因?

布莱克并没有马上走开,尽管公主仍旧没有要理他的意思,他仍然安静地站在那里,耐心地等待着,希望公主能再一次注意到他。

布莱克观察到,公主终于渐渐不安起来,尽管她还在跟那个姑娘谈着话,但是她们的谈话,渐渐地有些前言不搭后语起来。闺娜塔公主的一只脚,不安地在地上拍打着,她的脸上慢慢升起了一层红晕。这时,和闺娜塔公主说话的那个姑娘也不安起来,她不断地扯着肩头披肩的一角,想让肩头更平整一些。最后她终于站起来向公主鞠躬告别,并且问公主,她能不能向她自己的母亲道别。

闺娜塔公主吩咐这个姑娘离去之后,就只剩布莱克在她身边了,她无论如何不能再装着看不见他了。她转过身来,生气地对布莱克说:"我没有别的事了,你总站在这里干什么?我清楚地告诉你,我不愿意你打扰我的事,好了,你赶快走开吧!"

"因为……"布莱克迟疑了一会儿,终于鼓起勇气说道,"因为我想告诉你,我爱你。"

"无礼!"闺娜塔公主站起来,怒容满面地说,"你怎么敢这样说!"

"我敢于为你去做任何事,我的公主。"布莱克回答说,"因为我爱你。"

闺娜塔无声地直直地看了他一小会儿,然后嘬起她的上唇,发出一声冷笑说:"你撒谎!"停了一会儿,她又接着说,"我知道你在别人面前谈到我时,是怎么说的。"接着,不容布莱克再说什么,她跨过他身前,扬长而去。

布莱克紧追在她身后问道:"我说过你什么了?我在所有尼玛人面前,没有说过任何不可以公开说的话,甚至我在最要好的朋友查理面前,也没有随便说过什么不得体的话。我爱你,我只对你一个人这样说,除你之外,再没对任何人随便说过。"

闺娜塔摆出一副很高傲的样子说:"我听见的可是跟你说的不一样,而且,我也不想跟你进一步争论这个问题了。"

"但是……"布莱克还想追问下去她到底听到了什么,正好在这时候,一阵喇叭声从北大门外传进了内墙,这是命令武士上马的信号。闺娜塔的随从跑来叫她到父亲那边去。查理也过来拉住布莱克的胳膊大声说:"走!詹姆斯!我们必须赶快,我们今天是安排在前排进场的。"布莱克被拉走了,他没法再从公主那里得到进一步的解释,因此弄得他满脸的莫名其妙。

现在在北墙外,正展现着一幅五彩缤纷的景象。那里聚集着的武士和仕女,还有侍从、马夫,以及士兵和马匹,这里当然无法容下这么多人,他们不得不向东向南的外墙伸延,甚至伸延到东大门以外,通向谷地的路上去了。

大约有半个多小时,人声喧哗不止,这种喧闹一直围绕着尼玛亲王的城堡,后来经过司令官满头大汗的指挥和传令官跑来跑去的催促,人群的行列才逐渐整齐有序起来,最终形成了一支壮观的缓慢前进的队伍,沿着弯曲的下山路走向竞技场。

走在最前面的是司令官和传令兵，跟在他们后面的是由二十人组成的军号队。然后是哥伯瑞亲王单骑领队，在亲王背后的是一大队武士，他们长矛上的各色三角旗在风中飘扬。武士的队伍紧紧在仕女们队伍的前面，而仕女队伍的后面，又是另一大队武士的马队。在他们的后面，又是一队队进行的士兵的队伍，他们有些持着弓弩，有些持着长矛，而另一些持着宽刃的战斧。

据说，可能有百十位武士，和数目几乎与他们相等的士兵留在后面守卫城堡和通向圣墓谷的进出口，不过这些人是可以轮换的，他们可以去参观第二天或第三天的比武。

尼玛城的仕女队伍，进场后就从大队分离出来，走向看台，坐上她们的席位。尼玛城五位作为奖赏的姑娘和圣墓城的五位姑娘被护送到一座竞技场尽头的高台上。在高台的后方，分别有尼玛城的武士和圣墓城的武士，排成严整的队形，尼玛城的武士在北面，圣墓城的武士在南面，各自护卫着他们的姑娘。

哥伯瑞纵马出列，与另一方纵马出列的鲍汉王相遇在竞技场的中央，鲍汉王用威严的语调和精确的言词，向哥伯瑞亲王复述着大比武多年形成的发言，哥伯瑞也按习惯，表达了接受的意愿。这种仪式之后，也就意味着大比武正式开幕了。

当哥伯瑞和鲍汉分别转身策马回到各自武士的前面时，那些当天不参加比武的武士，就走向看台，寻找他们的席位去了，把他们的战马交给马夫牵出场外。那些当天比武的武士，则骑着他们的战马，再一次绕场一周，这样做是有两个好处，一是向他们的对手表明自己的身份，同时也认清交手的对方；二则是让观众看清今天参加比武者的面貌，同时他们自己也想看看有可能赢得的美丽的姑娘。

除了姑娘之外,这里还有一些其他的物质奖品,包括灿烂的宝石饰品、整套的铠甲、长矛、宝剑、骏马以及其他武士们喜爱的物品,这里面也有得胜的武士们可以献给他们心爱女士的礼品。

圣墓城的武士们首先列队前进,今天他们的领队是鲍汉王。当他骑马走过仕女们的看台前时,可以明显地看出,他的眼睛始终在仕女们身上徘徊。老鲍汉王前不久病故,现在的鲍汉王,还正是一个年轻人,刚刚继承了王位。这位年轻的鲍汉王既傲慢又专制,而且,在他手下还训练好了一支有很强战斗力的、准备专门与尼玛武士作战的队伍。这些情况,尼玛人都是了解的,鲍汉王野心勃勃,一心想让尼玛归入他的统治之下。

鲍汉王的坐骑昂首阔步地走在他的武士前面,他的旗帜迎风飘扬,大队的武士们紧随在他的后面。他骑马从尼玛人的看台前走过,当他走到看台正中哥伯瑞亲王的包厢前面时,那里坐着亲王和他美丽的女儿闺娜塔,以及王后布瑞尼尔坦。鲍汉王的眼睛不由得紧盯在闺娜塔公主的脸上。

鲍汉王这个失礼的举动让哥伯瑞亲王气得满脸通红,这种表现无疑违反了贵族的礼节。哥伯瑞不由得从座位上站了起来,但恰在这时,鲍汉王却在马上欠身,深施一躬,然后坦然地继续往前走了。武士们也紧随在他身后走过去。

开赛第一天的比武,荣誉被圣墓城的武士们赢得了,他们获得了 227 分,尼玛城的武士只获得 106 分。

第二天仍旧以比武的对手列队走过看台为开赛式。按常规,他们应由一位传令官率领,但使大家吃惊的是,这一天圣墓城武士的领队，竟然仍是年轻的鲍汉王。他依然是骑马到公主闺娜塔的看台前，不顾礼仪地饱餐了一阵秀色才走开。

不过这一天的比武成绩，尼玛城的武士们比第一天要好一点，只落后于对方7分（170比163），但两天下来，总分为397比269，圣墓城的武士仍处于领先地位。

第三天开赛时，圣墓城共领先了128分，如果尼玛城的武士要反败为胜，在总共剩余的334分中，尼玛城的武士必须要夺得223分，才能以501比499最终超过圣墓城。

第三天，鲍汉王又一次违反常规，在开赛前，领着他的参赛选手们，列队绕场行进。和前两天一样，在走过哥伯瑞的包厢时，他的目光又落在了闺娜塔公主美丽的脸庞上。看了一会儿，他对公主的父亲发话了："尼玛的哥伯瑞亲王！"他带着傲慢的态度说，"我的勇敢的武士们，昨天已经超过你们7分，眼看大比武的最终胜利就是我们的了，但是，现在我想提出一个新的计划。"

"你说吧，鲍汉！大比武还远远难分胜负呢！但是，你如果有新的建议，一位高贵的亲王总会加以考虑的。"

"你们挑选出来的五位姑娘，倒是也和我们的一样好。"鲍汉接着又说，"但是假如你肯把你的女儿给我做圣墓谷的王后，我情愿承认这次大比武是你们赢了。"

哥伯瑞听了，脸一下子就气白了。但是当他回答时，他仍旧使自己不失态，有意压低了声音，装出平心静气，颇有自制力的样子，用一位高贵的亲王应有的风度说："鲍汉先生，你的话在一个高贵的人听起来，是很不入耳的。这话似乎暗示哥伯瑞的女儿是可以买卖的，而且，尼玛的武士，好像也可以随便讨价还价。"

停了一下，哥伯瑞以非常坚决的语气说："请你从这里走开，回到赛场你那一方去，不要等我招呼奴仆们把你赶走！"

鲍汉似乎也怒了，高声喊道："这就是你的答复吗？嗯？那好，我会按规定把你们的五位姑娘带走，同时，我还会用武力，把你的女儿也弄走！"鲍汉说完最后一句威胁的话，拨转马头飞驰而去。

关于鲍汉无礼的建议，以及他被哥伯瑞冷冷拒绝的事，像野火一样，在尼玛武士的行列中传了开去。这样一来，最后一天参加大比武选手的胜负，就成为非常关键的问题了。他们必须细心而勇敢地取胜，才能保卫尼玛和闺娜塔公主的光荣。

由于头两天圣墓城的武士们分数领了先，而且差距较大，尼玛城的武士们心里都憋着一口气，这更加鼓舞了他们的斗志，无形中好像有一种力量鞭策着他们，使他们的勇敢和努力发挥到极限。尼玛的年轻人无需司令官的督促，他们准备在竞技场上，用武力给鲍汉以答复。

按日程，布莱克与对方武士剑和盾牌的比赛，就排在今天的头一场。当场上清扫完毕，随着一阵嘹亮的喇叭声，布莱克沿着南侧看台纵马而出，这时，他的对手也沿着北侧看台驾马上阵。后者走到鲍汉王的包厢前停了下来，而这时布莱克也在哥伯瑞亲王的包厢前勒住了坐骑。在那里他举起了他的剑柄，放在他的嘴唇上，向亲王致敬，只是，他的目光，却落在了闺娜塔的脸上。

"为了尼玛的光荣和荣誉，以一个真正武士的勇敢和武功，去执行你的使命吧！"哥伯瑞鼓励他说，"而且我主耶稣将赐福你和你的宝剑，我亲爱的詹姆斯先生！"

"为了尼玛的光荣和荣誉,我以我的宝剑和生命宣誓。"这本来是按大比武的惯例,布莱克应该回答的誓言。

而布莱克在他的誓言里,却加进了一项新的内容:"为了尼玛的光荣和荣誉,也为了保护我的公主,我以我的剑和生命宣誓。"哥伯瑞的脸上,并没有因为他这独出新裁的宣誓而表现出不快,闺娜塔脸上原来那种高傲和矜持的表情,却因此而和缓下来。

她缓缓地站起来,并且从她的长袍上撕下一小条丝带,走到包厢的外沿,说:"请接受你的女士的祝福,带着她的祝福去战胜你的对手。"

布莱克拍马走近包厢外的围栏,在马上欠身低头,此时闺娜塔把丝带用别针钉在他的肩上。他的脸这时离闺娜塔的脸很近,他闻到了她头发上特有的香气,他甚至能感到她呼出的温暖的气息,拂到他的面颊上。

"我爱你。"他小声说,他的声音非常低,低到不可能有另外的耳朵听到的程度,但他相信,她听到了。

"你是一个乡巴佬!"她也像他一样低声回答道,"这是为那五位姑娘,我才这样祝福鼓励你。"

布莱克抬起头来,直视着闺娜塔的眼睛说:"我爱你,闺娜塔。"他非常肯定地补充道,"而且你也爱我。"

没容闺娜塔再说什么,布莱克拨转马头走了开去。这时,号声已经响起来,他让他的坐骑缓步走向场地的一端,那里驻扎着尼玛城武士的帐篷。

爱德华非常激动地看到他的到来,查理、米歇尔、司令官、传令兵、号手、士兵,整个战斗团都在等着他,给他鼓励,以及这样那样的建议和忠告。

布莱克又像上次一样,把他的盾牌扔到一边,现在没有人对他的这一做法给予纠正了,相反,他们都得意地微笑着,明白他的战术。因为他们都看见过他是怎样只靠他的剑和精湛的骑术,而战胜马路德的。

号声又一次响了起来,布莱克用马刺在马腹上一踢,战马直向竞技场的中央冲去。从对面圣墓城一方,也冲出来一骑迎战的武士。

"詹姆斯先生!詹姆斯爵士!"从南侧尼玛城的看台上,发出一阵阵的欢呼声,他们以不同的称谓喊着布莱克。同时,北面看台上,也对他们一方的骑马武士,发出助威的欢呼声。

"这个黑衣武士是谁?"北看台上的许多人都互相向他们的邻座询问着。

"他没有带盾牌!"有人发现了布莱克在马上只拿着一把剑,因而大声喊着。"他是疯了!"北看台上圣墓城的武士高声喊着鼓励他们自己的选手,"盖伊爵士!在头一个回合就把他劈下马去!"

十七
撒拉逊人入侵

圣墓谷尼玛城前面的平原上。正当大比武进行到第二天的时候,有一伙恶人穿着沾满了泥泞尘土的长袍,带着长筒火枪,正艰难地爬上北面的山峦。圣墓城和鲍汉王的城堡,这时已清楚地呈现在他们脚下。

他们沿着一条荒草没径的小道,悄悄地爬上山来。显然,这条小道已经多年没有人走过了,它已经被周围的荒草和矮灌木丛遮掩得难以分辨。然而伊本扎得和他的随从们还是在短时间内就找到了它的痕迹,并且循着它爬上山来。终于,在他们的下前方,看到了一座碉堡,而且在更远处,他们已能遥遥望见鲍汉王那座雄伟的城堡了。

现在,在伊本扎得眼前能够清楚地看到城堡的两座外碉堡,它们分立左右,卫护着进入大城堡的门户。在山谷南面的更远处,他们依稀看得见还有一片建筑群,他们并不知道,那就是哥伯瑞亲王的城堡。而且伊本扎得更不知道,那里正是日夜防御着撒拉逊人的尼玛城。

伊本扎得大致观察了一阵,只见一个老武士和几个士兵守在碉堡处,防守非常松弛,于是他带领着贝都因人,大胆地伏在草丛和矮灌木丛中，向碉楼的近处爬了过去。他们在灌木丛中窥视着那些碉堡的守兵，看到有两个装束有些古怪的黑人，正在碉堡外猎兔子，他们都只带着弓弩和短箭。确实，对这些守碉堡的人来说，已经有很多年没有见到过陌生人从这条小路上走过了，而且多少年来，他们也习惯于在碉堡外和山顶之间的漫草和灌木丛中进行一些狩猎活动。他们也从不往更远处走，因为那是被严格禁止的。尽管他们也是山的另一边部族的后裔，然而他们在这里生活了多年，也就习惯了，甚至他们还自认是英国人，由于多年的教育，他们心里已经树立了一个牢固的观念，那就是时时防止入侵者。他们听到过一种传说，那就是如果他们敢于游荡到更远的荒山野地里去，那里有一伙撒拉逊人在守候着，时刻准备消灭他们。

今天，他们也像往常一样，在进行着带游戏性的小型狩猎活动，这是他们被派到外碉堡值勤时常做的事。他们轻手轻脚地在野灌木间向前走着，期待着从什么地方猛然窜出一只兔子来。至于在草丛中还趴伏着一些脸色黑红的人，他们一点儿也没想到，一点儿也没发现。

伊本扎得看到碉楼的大门是一种可以拉起也可以放下的大闸门。现在，闸门被高高地拉起，门户大敞。那位老武士和他手下的几名士兵现在十分粗心大意，鲍汉王带领着不少的人参加哥伯瑞城的大比武去了，他们现在正处于少有的无人看管的境地中，乐得松弛地玩一玩。

伊本扎得向伏在他身后的人招了一下手，让他们跟过来，逐渐向大门口接近。

这时，那个老武士和他率领的守卫碉堡者在干什么呢？原来，老武士已经走进大门旁碉楼的一个尖塔里吃早餐去了，在往日，他用早餐要比今天早，今天迟了一些。另外几个人，正倚着碉楼的石墙，晒着太阳在打盹儿。他们有的坐着，有的在内墙里的树荫下，伸直了身子躺在地下，尽情地享受着这份清静。

这时伊本扎得已经顺利地爬到离大门只有几米远的地方，正等着后面的人跟上来。等他们都聚集到一块儿，他小声向他们低语了几句，就悄悄地、一个接一个，手持火枪向大门边走去。当他们已经进入内墙，圣墓城的士兵们才发现，不远处已经出现了几个撒拉逊敌人。

士兵们慌忙跳起来，拿起弓弩和战斧，保卫大门，他们大声喊叫着："撒拉逊人！撒拉逊人！"终于惊动了他们的长官，那位吃早餐的老武士，和门外几个正在猎兔子的人，他们一齐向碉楼这边跑来。

这时，在鲍汉王的城堡里，那些没有去参加大比武的、留守在本城的士兵，也听到了从碉楼方向传来的喊叫声，几乎在此同时，一种像惊雷似的爆炸声也传了过来。此时天空是晴朗的，他们判断这绝不可能是雷声，这种声音是他们从来没有听到过的，即使从他们先辈口中，也没有听说过。他们很快地聚集到城堡的大门，在商量着在这种情况不明的状态下，他们该怎么办。

这些英勇的武士觉得，只有一种可能，那就是驻守在外堡的守卫人员，受到了某种袭击，他们当前必须做的，就是赶快跑去帮助。于是他们招呼留在这里的四位武士和几名士兵，由他们的司令官率领，骑上马向大门奔去。

当他们只走了一半路的时候，就被躲在灌木丛中的伊本扎得看见了。伊本扎得在打死了几个守碉堡的可怜士兵之后，顺着山谷向城堡走来。当他们看见远处有了骑马驰来的增援人员时，伊本扎得就招呼他们的人，重新躲进灌木丛，骑马来的司令官和手下，并没有发现他们。等那些骑马的人过去之后，伊本扎得才从灌木丛中钻出来，继续沿着弯弯曲曲的山路，直奔鲍汉王的城堡而去。

在城堡大门守卫的士兵们，现在已经提高了警惕，按照司令官的指示，站在吊起的闸门旁，如果自己人被敌人紧紧追赶退回时，他们就可以立刻放下闸门，把追赶的撒拉逊人挡在外面。这样，圣墓城的士兵将就可以紧紧守住大门，这正是他们的祖先和他们自己七个半世纪以来，时刻准备着遭受攻击时的防守策略。他们根本想不到这一刻竟会最终到来。

当圣墓城堡大门前的守卫者正在讨论外碉堡究竟发生了什么事的时候，伊本扎得从距离大门几米远的灌木丛里把他们看得一清二楚。

这个贝都因人十分清楚吊闸门的作用，现在，他正在考虑，在吊闸门把他挡住之前，他怎样能抢先闯进城堡里去。最后，他终于想出了一个计划，甚至让他得意地微笑起来。他招呼来三个手下，用耳语悄悄地把计划告诉了他们。

堡门旁站着四个管理吊闸门的士兵，此时，这四个人都在伊本扎得清晰的视线之内。然后，伊本扎得带着他的三个人，小心地、悄无声息地举起了火枪，每个人瞄准一个守门士兵，只听伊本扎得一声令下，四支火枪齐声轰鸣，只见火焰的光芒一闪，铅弹一齐喷出。四个守门人齐刷刷地倒在了地面上。伊本扎得率领他的人趁机向前跑去，占领了鲍汉王城堡外墙以内的地方。不过，在他们的前方，还有一道很宽的护城河，以及另一道大门。只是此时河上的吊桥已经放了下来，大门也敞开着无人守卫。

圣墓城的司令官和他的随从士兵们，现在可以完全不受任何阻拦地冲向外碉楼了。在外碉堡门的内墙一带，所有这里的守卫者，都躺在血泊中。甚至老武士的小随从，本来是该守在大门这里的，现在也不见了。

躺在血泊中的士兵里，有一个人还没有死，一面不断地抽搐，一面喘着气，司令官从他断断续续的语言中了解到已经发生的事实：撒拉逊人终于来了。

司令官问道："他们现在在哪儿？"

那个要死的人断断续续地说道："你们没有看见他们吗？他们顺着下山的路直奔城堡去了。"

司令官大声地说："不可能！我们刚沿着这条路走来，可是连他们的影子也没看见啊！"

那士兵更加无力地说道："他们确实下山往城堡方向去了。"

司令官听了皱起了眉头，又问道："他们有许多人？"

士兵答道："他们只有几个人，也许这是他们的前哨。"

正在这时，伊本扎得火枪齐射，打倒四个守门人的清脆声，传到了司令官这里。

司令官不由得大声骂道："该死的！"

"他们一定是在我们走过时，躲在灌木丛里了。"

司令官此刻意识到事情被他弄糟了，痛苦地反省说："城堡的大门处,我们只留了四个守门人,而且我还命令他们把吊闸门拉起来等我们回来!老天可怜我吧!这下子我把圣墓城都交给撒拉逊人了。"

这时有一个叫莫尔雷的武士还比较镇静,说:"不!我相信你是个男子汉,现在我们需要能指挥一支队伍的人,这支队伍能使用长矛、宝剑和弓弩,有效地保卫圣墓城。现在只能把你的性命交给我主了。我们现在首要的事是保卫圣墓城,对抗那些异教徒。"

司令官说:"你是对的,莫尔雷!你就留在这儿,给你六个人,守住这座大门。我带其余的人回去,我们将在城堡大门处与他们战斗。"

但是当司令官回到城堡大门时,发现吊闸门已经放下来了,一个满脸络腮胡子、脸色阴沉的撒拉逊人,正在闸门的铁栅栏里朝外向他望着。司令官马上命令他手下的人,用弓弩把这个家伙射倒。但是当他们把弓弩架上肩膀时,忽然一声像炸雷一样的声音,几乎使他们震耳欲聋,而且一簇火焰从架在他肩上的一支长筒中喷了出来。一个弓弩手发出一声痛苦的尖叫,脸朝前倒了下去,其余的弓弩手都吓得四散逃开了。

这些武士平素面对危险时都是勇敢的可以信赖的人,但今天他们面对的是超自然的、怪异的、从未见过的武器,他们的反应也和一般人是一样的。他们心想,世界上怎么会有这么怪异的事呢?一股喷射而出的火焰和一声轰鸣,竟能致人死命!

但是司令官布兰德毕竟是圣墓城的武士,当他第一次看到撒拉逊人手持怪异的武器杀人时,他的反应也和他手下的士兵一样，不假思索地逃开了。不过他马上意识到这样做是不对的，好像有一股什么力量，使他仍然骑在马上，不再逃跑，相反，却显得更加镇静，在他身上忽然有了一种超越恐惧和死亡的责任感和荣誉感。

布兰德司令官骑在他的高头大马上，停在那里，并且开始试图攻击撒拉逊人，决心和他们决一死战。他在思考应该怎样集中他最勇猛的武士，该确定用谁去攻击闸门。

但是贝都因人也守在那里，他们并不了解对面武士的想法，他们也没有像司令官布兰德所负有的那种荣誉感，他们甚至还觉得这些武士为荣誉而献身有点可笑。

这些贝都因人只知道两件事：第一，他们在这些武士眼里不过是异教徒，当然，这些武士在他们眼里也是异教徒；第二，对面这些武士没有自己手里这么精良的武器。他们根本不把对方手里的长矛宝剑放在眼里，因为这些武器根本够不着他们。

贝都因当中的一个人用火枪仔细地瞄准着司令官布兰德的连环锁子甲，那里面正隐藏着他高贵而勇敢的心脏。

伊本扎得这时已匆匆地穿越过鲍汉王的城堡，在他心里已经肯定了这就是尼玛城，也就是巫师曾告诉过他的地方。他把城中的妇女儿童，还有留在城堡中的极少数男人都召集在一起看管起来。他在想着，过些时候都把他们杀掉，因为他们都是异教徒。他对占领了这座珍宝城市，实在是太高兴了，也许最后他会饶他们一命。

在他的命令下，他的手下搜查了整个城堡。最后他们没有失望，圣墓谷里早就发现确实有座金矿，也有宝石，七个半世纪以来,圣墓城和尼玛城的工人和奴隶们,一直在河床里淘金和捞取宝石。这些外人看来价值昂贵的东西,圣墓城和尼玛城的人只把它们看作是无关紧要的小物件。当然他们也喜欢这些东西,甚至有时用它们进行交易,但他们并不把这些东西珍藏起来,更不会锁起来,因为在他们这里,对这些东西从未发生过偷盗行为,尽管他们对自己的妇女和马匹都保护和看守得很好。

正因为是这样,伊本扎得可得手了,他几乎把鲍汉王皇宫里都搜寻遍了,把凡是能找到的黄金和宝石,都收集起来,满满地装了一大袋,足以满足他的贪欲了。这些财宝,比他从传说中听来的似乎还要多。按理说,他该满足了,但是他却贪心不足,他开始转着另外一个念头。

这一天晚上,他和他率领的人就睡在鲍汉王的皇宫里,一整夜,他们都在谈论着同一件事。原来他们发现王宫前面还有一条宽阔的山谷,它一直延伸到对面的山边,而且就在那边的山脚下,隐隐约约能看到另一座城堡。伊本扎得不由得产生了联想:"说不定,那边还有一座更加富有的城市,我明天早上一定动身到那里去看一看……"

十八
黑衣骑士

在大比武的场地上,两匹马像旋风一样地冲了进来,看台上却突然出现了一片沉静。这两个比武的骑士,当中的一个来自圣墓城,名叫盖伊,当两名骑士在场中相遇时,盖伊突然发现对手居然没有盾牌。他很纳闷,这是怎么回事?难道他们的人就这样把他送到比武场上来了?这责任自然在他自己人那方面,既然如此,骑士盖伊即使刺伤了对手,也无损于他骑士的荣誉,因为这都是大比武的规则允许的。

此时,这些想法在盖伊的头脑中只是一闪而过,对他来说,此刻最重要的还是如何运用自己的技艺,来进行开赛的第一个回合。

当对手与自己骑马相遇时,盖伊突然向斜刺里一转,脚踏马蹬站了起来,像马路德比武时那样,猛地挥剑劈了下来,没想到这一剑却劈空了。布莱克拨转马头,直向盖伊武士的肩膀撞去,布莱克的剑向对方落下的宝剑上猛地一挡,只听得咣啷一声,盖伊的剑失手被撞落到地上。

这时盖伊只好举起他的盾牌,来抵挡布莱克刺来的宝剑,岂知布莱克的马快,早已窜过盖伊的马头,布莱克的剑从后下方拨开了盖伊的喉部护甲，向他的颈部斜割了一剑。

只听得盖伊大叫了一声，接着，好像血流堵住了他的咽喉，他的声音似乎也被塞住了，他只喊出了一半，就仰身从马屁股上滚落在地上。南看台的观众喝彩声哄然而起。

按照大比武的规则，凡是已落马的武士，就被视为已经被杀或者出局，所以，最后结果性命的那一剑也就可以免去而不执行了。胜利者就可以骑马向自己一方的看台驰去，在那里骑上一趟，穿过看台前的广场，然后在一侧等待传令官给他颁发应得的奖赏。

然而，布莱克却没有像别的胜利者一样驰回自己一侧的看台，相反，他翻身下马，提着剑向跌倒在地上的盖伊走去。这时南看台的人都倒抽了一口冷气，而北看台的人们却响起了一片愤怒的吼叫。

司令官和传令官疯狂地从落马者的看台前疾驰而来，看到这种情况，查理怕布莱克受到伤害，也率领几个人，从赛场的另一侧骑马赶了过来。

布莱克走到跌下马来的盖伊身前，看到他仰面朝天地躺在地上，无力地挣扎着想站起来。这时远处的观众在注视着布莱克，见他并没有用宝剑去刺对手的脖子，却把手里的宝剑丢到地上，俯身单腿跪在受伤者的身旁。

布莱克把胳膊伸到盖伊的肩膀下把他慢慢地扶起来，让他的上身倚在自己的膝盖上，同时撕开他的护喉甲。当司令官和传令官跑过来，围住他们的时候，布莱克正用手压住盖伊武士的颈部血管，尽最大的努力企图止住他的血，不要再往外流。

他对围着他的人喊道:"快点!去找一个外科医生来,他的喉管并没有伤着,只是这流血的伤口需要马上处理,不能让血再流了。"

已经有几个武士从马上下来,围了过来,其中也有查理。这时,盖伊方面的一个司令官跪了下来,从布莱克的胳膊上接过了受伤的盖伊。

查理说道:"我们走吧!把受伤的武士留给他们自己人好了。"

布莱克站了起来,这时他才注意到,他周围人的脸上,都有一种异样的表情。但当他要走时,鲍汉王方面一位年长的司令官说道:

"你真是一个大度而且具有骑士精神的武士。"停了一会儿,他又继续说,"你同时也是一个勇敢的人,你没有触犯大比武的规定和我们多年来的习惯,而且你做的甚至超过了你应该做的。"

布莱克面对着他回答说:"我可不管你们的规定和习惯,我是我们民族的后代,在我们那里,即使是一个家养的动物,也不能看着它流血死去而不去救助。何况我伤着的是一位勇敢而有骑士风范的青年武士呢?因为他是被我的剑刺伤的,按照我们的习惯,我有责任去救助他。"

查理也跟着说:"是的,否则他就要受到斥责的。"

这一天的第一次胜利,不过是尼玛武士今天一系列胜利的前奏。当最后一项单项比赛结束时,尼玛城这边获得的比分,已经是452分比对方的448分,只相差了4分。

这么一点分差，对整个大比武来说，也实在算不了什么，因为在最后阶段，还有 100 分，它将一次性分给胜利的一方。这在整个大比武中，可说是最壮观的一个项目了，这是观众最热切期望看到的一场比赛。一百位尼玛城的武士和一百位圣墓城的武士相对抗。他们各自占据竞技场的一方，当战斗的号角吹响，骑马的武士都手持长矛冲上前去，直到一方完全被打下马来，或者因受伤而退出竞技场。如果长矛折断了，可以更换，就像马球比赛中球手可以暂时退出场外更换球杆一样。此外，很少再有什么规则来约束这场最终的决斗。这场赛事，比起三天来其他的单项比赛，更像是一场真正的战争场面。

布莱克今天的开场赛，就为尼玛武士赢得了 15 分，接着，他又和尼玛城的四位武士，与来自北面的五位持剑武士进行对抗赛。又为尼玛城一方增添了分数。

布莱克之所以又被选中参加最后这场大赛，大部分原因是因为司令官对他的骑术评价很高，认为这一点足以补偿他在使用长矛上的不足。

两百位全身披挂的武士，已经列队整齐，准备参加最后的这场大比赛了。他们各自在竞技场的一方，排列成行，场地的一方是圣墓城的一百位武士，另一方则是尼玛城的一百位武士，他们的战马是特别挑选出来专为这场对抗赛用的，既有力又迅猛，和骑乘它们的年轻人一样，勇敢而且饱经战阵。

挑选的武士绝大多数都是二十岁左右的年轻人，因为年轻人在这样的比赛中好胜心切，这一点，从中世纪到现在无不如此。队列中还零星夹杂着几位中年人，老兵的心和手是经得住长途跋涉和耐力的考验的。有他们在，对青年人将产生一种坚定的影响，同时可以督促他们全力以赴。同时，青年骑士的功勋，也可以被中年武士公平地看在眼里，使得优秀的青年武士在尼玛城的大厅里得到表彰。

在这令人骄傲的行列中，有竖立着的长矛，有飘扬的三角旗，也有从擦亮的铠甲上反射出的耀眼光芒。甚至马的笼头、颈饰和华丽的马衣，无不使骑手和这支队伍颜色倍增。这两百名武士的行列，形成了一种高贵而庄严的气氛，此时他们正等待着号角声的召唤。

许多战马显出了不安，它们时不时地被主人勒住，因而跳起来用后腿站立，有的挺起颈项，用前腿踏着地，或猛地向前冲两步，又被主人勒了回来，但只过一小会儿，就又显出要向前冲的姿态，这种姿态，就像被栏杆挡住的骏马要跳过围栏时的状态。此时，在远离竞技场中心的两侧，各有一个传令官，在等待着双方队列排齐的一刻，随后他们将根据司令官的信号，让这些铁骑投入战斗。

布莱克发现，此时他自己几乎就排列在尼玛武士队列的中央，他骑着的一匹大黑马，正烦躁地等待着向前冲去。而在他的对面，大概是圣墓城武士中最强悍的骑士。布莱克的右手，握着一支沉重的铁头长矛，长矛的底托就搁在他马镫里的右脚的靴尖上。他的左臂上挎着一个大盾牌，他现在可不像过去用剑时那样抛弃盾牌了。

当他向对面看去时，知道竞技场上那长长的一列百人队伍，不久就会向他冲来，现在，队伍在整齐地排列着，马头前林立着向前伸出的长矛。布莱克突然感到,他的盾牌实在有点渺小,似乎不足以应付那些长矛。而且,就在此时,他好像正经历着一种在球赛现场开赛前的紧张感,使他记起从前在赛场上,等待裁判开赛哨音的那种心情。不过,他现在觉得那都是很遥远的过去了。

信号终于发出,他看到司令官高高举起了手中的剑。这时两百个武士同时控制住他们胯下难驾驭的骏马,而把长矛都指向前方。然后,司令官手中高举的宝剑突然向下挥去,从竞技场的四角,同时也响起了号声,两百名武士的喉咙里也高声喊出了冲杀的声音,两百双靴子的马刺,踢向了乘骑着的战马,使它们立刻纵身向前。

战马踏出了轰鸣的声响,像一条潮涌似的激流冲向战场。这时,二十多位传令官也紧随在队列的侧翼和后方紧追不舍,以防止在喧哗冲撞的队列中有任何违规的事件发生。每一个武士必须向他马头前的对手进攻,如果偏离地去攻击他右侧或左侧的对手,那就是一种违规的动作了。因为这样就会成为两个人同时攻击一个对手,而使被攻击者难以招架了。

布莱克从他的盾牌上沿望过去,他看到迎面冲来的长矛密匝匝,包着铁护甲的战马和大盾牌,似乎都一起向他压过来。这种速度、重量和势头,好像都有点不可抗拒。他对这种整齐划一与同心协力,不能不怀着一种深深的敬意。

现在两条互相对立的阵列就要相遇了,两边看台上的观众也因看得出神而安静下来,传令官脸色严肃地紧闭着嘴唇,一切都像暴风雨前的宁静。

布莱克的长矛从他马头旁的肩胛处伸向前去,他选中了向他左手冲来的武士,有那么一刹那,他注视着对方的眼神,然后使自己藏身在盾牌之下,紧接着就听到长矛与盾牌的震耳欲聋的撞击声。

布莱克的盾牌被一股可怕的力量撞了回来,反弹的力量使盾牌几乎直碰到他的脸上和身上,使他差一点从马上翻下去。他觉得自己的长矛折断了,有的地方似乎被撞成了碎片,他自己也几乎被震晕。而他的战马却依然一往无前地驮着他冲过钢铁般的战阵,发狂得几乎控制不住地向鲍汉王的武士们冲去。

经过好一番努力,布莱克振作起了精神,收紧了缰绳,最后才使他的大黑马驯服下来,于是他趁这个机会扫了一眼刚才混战的战场,此时,他才看清了自己参加的这场对抗的战果:七八匹战马倒在了地上,正挣扎着想站起来,另外有二十多匹鞍上没有骑士的战马,在竞技场上乱跑,而有二十几位骑士躺在地上,大约有双倍的侍从和男仆,匆忙跑来救助他们的主人。

现在已经有一些武士,重新端平了他们的长矛,对准了新的对手。而这时,布莱克看到一个圣墓城方面的武士,正准备向自己冲来,他马上举起了手中被折断的长矛,高高地举过头顶,向对方示意,自己暂时丧失了战斗力。然后迅速纵马疾驰回竞技场自己的一方,在那里爱德华手中拿着一支新的长矛,正在等着他。

等他走近了,爱德华大声说:"你干得真漂亮,我亲爱的主人!"

布莱克问道:"我刺中那个人了吗?"

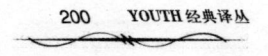

爱德华脸上露出骄傲和快乐的神色，非常肯定地说："你当然刺中了他，长官！你的长矛正因为刺在他的盾牌上，才折断了的，你已经把他挑下马去了！"

布莱克换了长矛以后，重新驰回竞技场的中心，许多武士还在对阵，挑更多的武士落马了，胜利者又在寻找新的对手。而这时看台上也响起了对胜利者赞赏的呼喊，甚至有人在大声提着建议。当布莱克纵马又驰入竞技场时，他被圣墓城看台上的许多人看见了，于是他们齐声呼喊起来：

"留神那个黑武士！他在这儿！这儿！威尔卓得爵士！这就是那个把盖伊打下马来的那个黑武士，威尔卓得！干掉他！"

这时威尔卓得在一百米以外，他平端着长矛，高声喊道："你敢来吗？黑武士先生！"

"你算找对人了，看着吧！"布莱克说完，用马刺猛踢了他的大黑马一下，于是大黑马飞驰向前。

威尔卓得是一个身材高大的人，相形之下，他骑的雪青马却显得瘦了一些，不过，这匹马可不能光看外表，它是一匹出色的好马，它有鹿一样的速度，又有狮子一样的勇猛，这一人一马在竞技场上已经颇具声望了。

也许在布莱克的眼里，威尔卓得就像别的武士一样没有什么特别之处，但他却不知道，威尔卓得在圣墓城的英雄中，可是最出众的。

事实上，圣墓城的许多武士对这个穿着一身黑的布莱克有些胆怯，但布莱克自己却没有明白，他是怎样在头一次交手中，就把他迎面的武士打下马来的。

狭路相逢勇者胜。这就是爱德华告诉他对手落马的时候,他心里确定的原则。

当他挺起长矛,像一个武士一样,去面对这个不好对付的威尔卓得时,这个圣墓城的武士也同样纵马向他奔来,就在这千钧一发的时候,布莱克无意间瞟了一下南看台,他瞥见一个女子的细长身影,从她的包厢里站了起来,尽管他没有时间看清她的面目,但从那急促起立的姿势上看,显然她是十分关心他的胜负的。

当威尔卓得径直向他冲来时,他小声自语地默念着:"为了我的公主。"

两个武士面对面直冲而上,长矛都刺向了对方的盾牌,他们都用足了十分力气。布莱克觉得他身不由己地离开了马鞍,竟一个跟头翻了下去,直跌到地上。但他既没有跌昏,也没有受伤。当他坐起来时,一个微笑挂在了他的脸上,因为,在不到一根长矛那么远的地上,威尔卓得也照样坐在那里,只是威尔卓得却笑不出来了。

威尔卓得吼道:"该死!你敢嘲笑我吗?小子!"

布莱克却平静地望着他说:"如果我看起来也像你一样可笑,你也会像我一样发笑的。"

威尔卓得皱起了眉头叫道:"他妈的,难道你是一个尼玛城的武士,而我是一个撒拉逊人吗?你到底是谁?听你说话的口音,不像是我们峡谷里的人。"

布莱克站起来说:"你伤得重吗?"他一面问着一面走向威尔卓得说,"现在让我来帮你一把,扶你站起来。"

威尔卓得说:"你肯定是一个古怪的武士。我想起来了,你曾救助过盖伊,当时,你很敏捷地打败了他。"

布莱克问道:"是的,这样做有什么错吗?我没有任何理由反对你们,我们都是一个祖先的子孙,我们为什么坐在这儿,彼此直眉瞪眼的?"

威尔卓得摇着头说:"你真让我不理解。"他不得不这样承认。

就在这时,他们双方的侍从以及赛场人员,都来到了他们跟前,但两个跌倒的武士都没有伤到没人帮助就不能走路的地步。当他们俩起身走向各自的看台时,布莱克转身向威尔卓得微笑着说:"再见,老家伙!希望有一天我们还能相遇。"他说此话的神情,看得出来他是很开心的。

威尔卓得还是不解地摇着头,一面一瘸一拐地走去,后面跟着两个跑过来准备帮助他的人。

在竞技场上,布莱克知道大比武的最终结果仍没有出来,这是因为在比赛结束前半个小时,尼玛武士又丢了2分,比赛场上还留有两个没被打败的圣墓城武士。但是,即使这样,在最后一天圣墓城也无法胜过尼玛城多出的4分。又过了一会儿,司令官们终于同意宣布尼玛城武士仅仅以2分之差,获得这次大比武的最后胜利。

在南面尼玛城的看台上,人们欢呼声不断。那些参加过比武并且获得分数的武士们,组成了一支队伍,骑马驰向竞技场,准备迎接他们作为奖赏的五位女士。但此时并不是所有获胜的武士都在这里,因为有的人不幸身亡,或者在对阵时受了重伤,尽管他们也取得了胜利,但却已经无法参加到这支队伍里来了。双方伤亡的人数都不多,有五六个人死亡,约有二十人因伤势太重而无法骑马,不过总的看来,双方伤亡的人数,差不多是一半对一半。

正当尼玛城的武士驰向平原,去迎接来自圣墓城的五位新娘时,鲍汉王却把他所有的武士集中在他的帐篷周围,看样子好像是准备回他们的营地。但这时,人们却没有注意到,有一个圣墓城的武士,戴了尼玛城武士的豹皮头盔,混进了竞技场南部的尼玛人的看台,并且在趁别人不注意时,在悄悄靠近哥伯瑞亲王的包厢。

鲍汉王这时看到,尼玛城的武士们都在竞技场的另一侧,全神贯注于例行的颁奖仪式,也就是按照大比武的规定,去接纳五位美丽的新娘。

在鲍汉王身边有两个年轻的武士,都骑着骏马,他们的眼睛,紧盯着鲍汉王,而他们其中的一个人,还牵着一匹空马的缰绳。

突然,鲍汉王像发布命令一样举起了他的一只手,而且打马穿过赛场,他的武士们紧跟在他的后面。他们向赛场的一侧跑了一段,跑到赛场的另一侧,恰巧挡在围成一团的尼玛城武士和哥伯瑞的包厢之间。

这时,在鲍汉王身边的年轻武士和他的另一个同伴,拉着那匹空马,打马直奔向尼玛人的看台,而且直奔哥伯瑞亲王的包厢而去。当他们靠近包厢以后,一个武士突然跳上看台,且进了包厢,以极快的速度抱起闺娜塔公主,扔给了守候在包厢外的武士,那个武士接住了她,然后跳过包厢前的围栏,把公主放在那匹空马上,在哥伯瑞亲王的惊讶之中,在周围的人们来不及阻止他们以前,就挟持着公主飞驰而去,他们后面紧跟着鲍汉王和圣墓城的武士们,直奔灌木丛的营地而去。这一连串动作,似乎都发生在一瞬间,使尼玛城的人猝不及防。

这时,大家立即都混乱起来,在哥伯瑞亲王的包厢旁,一个号手立刻吹起了警示号,有一个武士迅速地给亲王牵来了一匹马,亲王也立即奔到马前。这时,很多尼玛武士还不知道发生了什么事,不知该到哪里集合,对抗什么人,惶惶不安地在竞技场上转来转去,有好几分钟。

哥伯瑞亲王看到这种情况,马上跑到这群武士面前,高声喊道:"鲍汉抢走了闺娜塔公主!尼玛的武士们!快追!……"在他还没喊完这个指令之前,一个骑着黑骏马的黑衣武士,已猛踢了一下自己的坐骑,穿过周围的人群,像一股旋风一样,紧紧地向撤退的圣墓城的武士们追去。

十九
泰山爵士

托洛格在黑暗中看着阿蒂亚的身影,知道她是要去给那个异教徒报信,一想到自己会多么干净利索地挫败她,嘴角不由得浮起了狡黠的微笑。他心里在感谢安拉给了他这样的一个机会,在阿蒂亚将要破坏他们的计划之前去阻止她。然而意外的事发生了,在他微笑还没有消失之前,一只从黑影里伸出来的大手一下子掐住了他的咽喉。

这只手一直拉着他,进了原来赞得住的帐篷,就是现在那个异教徒住着的地方。托洛格起初挣扎着,企图呼喊求救,但在那只钢铁一般的手掌中,他一点力气都没有,几乎连气都喘不过来了。

进了帐篷以后,在托洛格的耳边响起了一声低语:"你要是敢喊出来,我就杀死你!"掐着他脖子的手松了开来,托洛格真的没敢喊,他已经从声音听出来,说这句话的是什么人。

他只好听从吩咐静静地躺在那里,这时,他的双腕和脚踝都被紧紧地绑了起来,然后,感到有一团布卷牢牢地塞住了他的嘴。接着,他觉得自己的大袍子,被翻了起来,完全盖住了他的头和脸。一会儿,他周围就沉寂了下来。

他听到了斯廷保爬进来的声音，可是他误以为是那个绑他的异教徒又从哪里回来了，因此不敢出声。结果，就这样，他竟不明不白地死于斯廷保的刀下。这本来是他和他哥哥计划的人猿泰山的死法，如今却都落到他自己身上。

当泰山料到这个坏小子会这样死去时，他脸上不由得露出一丝得意的微笑。接着，他就跳上树去，穿行在树枝间，向东南方向荡去了。

泰山搜索的目标并不是贝都因人，而是布莱克，当他确定在伊本扎得帐篷里的白人是斯廷保，而且没有人知道另一个白人到哪里去了的时候，他就一心想找到布莱克。于是他首先返回到曾给布莱克引路的黑人告诉他的布莱克失踪的地方，从这里开始重新追踪布莱克的痕迹，即使自己帮不了布莱克什么忙，至少也应该弄明白布莱克现在的命运如何了。

泰山走得很快，他非同寻常的视觉和嗅觉能极大地帮助他在丛林中找到他要追寻的目标，但他仍然用了三天多的时间，才找到被雷电击毙的给布莱克扛枪的黑人的尸体。

在这里他发现了布莱克向北走去的足迹，泰山不禁摇了摇头，因为他知道从这里开始，到能够找见加拉人第一个村落的地方，中间有好大一片是荒无人烟的丛林地带。他预料，布莱克即使能逃过林中的野兽，也逃过饥饿和干渴的威胁，但他也难逃加拉人的投枪。

两天来，泰山一直追寻着一双普通人眼里无法辨认的脚印，这是泰山多年来在丛林里生活养成的技能。一直到第二天的下午，他突然在灌木丛中发现一个用石头做的大十字架，这十字架就建造在一条古老的、几乎多年来没有人走过的路中间。泰山就像野兽要捕获猎物一样,在隐蔽中前进,他不断为自己寻找着遮蔽物,而且对每一个可疑的东西,都谨慎地提防着,随时准备着在必要时,发起有把握的进攻。

正因为泰山这样小心谨慎地前进,他才没有盲目地闯入两个武装士兵的掌握之中。他首先听见了他们谈话的声音,然后才从树丛的缝隙中看到了他们。

就像狮子或猎豹接近它们的猎物一样,泰山在灌木丛中悄悄地匍匐前进,直到离那两个人只有几米远的地方。但让他大吃一惊的是,他听到他们竟然用一种发音古怪的英语在谈话。

他们的英语就好像一个外国人说的英语。而且更让他吃惊的是他们古老的服装和古老的武器。不过,这些也让他猜到了布莱克失踪的原因,和他可能遇到的命运。

有好一会儿,泰山的眼睛一眨不眨地盯着他们,他自己就像一头狮子一样,等待着一个最恰当的发起进攻的时机。他看见他们每个人都拿着一支长矛,也都带着一把剑,说着马马虎虎的英语,认为他们有可能向他提供一些有关布莱克的消息。

泰山在无法确定对方的态度之前,他认为还是藏在灌木丛中等待时机的好,于是他就像狮子一样,在聚集着力量,准备扑上前去。

两个黑人正在无忧无虑地聊天。忽然,在他们毫无警觉的情况下,泰山跳到了离他最近的那个黑人背后,把他推倒在地,当另一个黑人还没回过神来之前,泰山就神速地把这个黑人拖进了灌木丛里,另一个黑人吓得转身就跑。

被泰山抓住的那个黑人拼命挣扎,但是泰山摆弄他就像摆弄一个小孩那么容易。

泰山警告他说:"安静地待着!我不会伤害你。"

那黑人叫道:"我的老天!你是个什么人啊?"

泰山回答说:"只要你说出实话,我是不会伤害你的。我就是这样一个人。"

黑人问道:"那么你想知道什么呢?"

"几个星期以前,有一个白人到过这里,他现在在什么地方?"

那黑人士兵眨了眨眼问道:"你问的是詹姆斯爵士吗?"

"詹姆斯爵士!"泰山边思考着边重复说。然后他想起来,布莱克的姓氏确实是詹姆斯,他说:"不错,他的全名是詹姆斯·布莱克,不过,我们平时只叫他布莱克。"

那个士兵说:"对了,那就是他,这里有这样一个人。"

"你看到过他吗?他现在在哪里?"

"他现在正在大比武场上为我们尼玛城争荣誉呢!大比武的竞技场就在城市下面的平原上。你要是想找詹姆斯爵士麻烦,那么你会发现,有许多勇猛的武士和许许多多的士兵都站在他一边,他们会一起接受你的挑战,我估计你会打不过那么多人的。"

泰山说:"不,我是他的朋友。"

黑人士兵似乎被弄糊涂了,问道:"那你为什么要跳出来攻击我?如果你真是詹姆斯爵士的朋友,你怎么会这样做呢?"

泰山笑了,回答说:"我怎么知道你们是否接待过他?我更不知道你们会怎么对待我呀!"

那个黑人说:"詹姆斯爵士的朋友,当然会在尼玛城受到很好的接待。"

泰山从黑人身上拿下了他的宝剑,然后让他站起来,并且让他扛起那根把他拖到灌木丛中来时丢在地上的长矛。

泰山命令他说:"你在前面走,领我去见你们的头领!不过要当心,如果你敢骗我,我就要你的命!"

那黑人士兵恳求说:"别让我离开这条路!我必须把守在这里,随时防范撒拉逊人的进犯。我的伙伴很快就会和别的一些人一起赶来,到那时,我会让他们带你去你想去的地方。"

人猿泰山表示同意说:"很好。"

他们并没有等多久,就听到有匆匆而来的脚步声,而且还伴随着一种叮叮当当的金属物品碰撞声。

不一会儿,泰山就看到一个人从路上一路小跑地跑过来,这个人身上穿着锁子甲,带着剑和盾牌,身后跟着十几个拿着长矛的士兵。

泰山命令走在他前边的黑人士兵说:"让他们站住!"这时泰山已经把剑尖顶住了黑人的后背,并且说,"告诉他们,我有话要和他们说,让他们先不要走得太近!"

那个黑人马上对跑来的士兵喊着说:"这位是詹姆斯爵士的朋友,他要你们别走得太近,他的剑现在就顶在我的背后呢。尊贵的武士们,请先和他谈谈吧!我还想活着听到大比武的结果呢!"

跑来的武士们,在距离泰山还有好几步的地方就站住了,为首的那个人上上下下地打量着泰山,然后问:"你真的是詹姆斯爵士的朋友吗？"

泰山点点头说："我找他已经有许多天了。"

"大概你遇到什么灾难了吧？怎么你的衣服都丢了？"

泰山不由得笑起来说："我只有这样才方便穿过丛林。"

"那么，你也是一位武士了？你和詹姆斯长官是同乡吗？"

人猿泰山回答说："我是一个英国人。"

"一位英国人吗？非常欢迎你到尼玛来！我是武士伯特伦，也是詹姆斯的好朋友。"

人猿泰山自我介绍说："我叫泰山。"

武士伯特伦问道："那么，你的身份呢？"

泰山觉得对面这个人的穿着和问题都挺不一般，他直觉地感到，如果把自己的真实身份告诉了对方，而且说明自己是个有地位的人，他会对自己更加信任。

泰山平静地说："我是一位爵士。"

伯特伦听后不禁惊叫起来："那么，你是一位庄园主了？哥伯瑞亲王一定非常高兴接待您，泰山爵士！请和我一起走吧！我会给您穿一身与您身份符合的服装的。"

伯特伦把泰山领进外碉堡的一间房子，这间房子是用来让武士向士兵发号施令的地方。他把泰山留在这里，然后就派人到城堡去取衣服和马匹。在他们等待的时候，伯特伦告诉泰山自从布莱克来到尼玛城以后在他身上发生过的事，以及这块大不列颠的领土奇特的历史。

当随从把衣服拿回来以后，泰山一试，正好合身，原来，伯特伦的个头儿和泰山几乎一样高。泰山穿戴起来之后，他们发现他已经完全是一副尼玛武士的样子了。然后,伯特伦就领着泰山以及武士们,一道向城堡驰去。当他们走到大门时,伯特伦就向所有的武士介绍泰山,告诉他们这位新来的武士,应该称呼他"泰山爵士"。进入城堡以后,他又向别的武士介绍泰山,并要求他们带泰山到竞技场去,并让他们把泰山引荐给哥伯瑞亲王。如果在他们到达时比赛还没有结束,那么他们还可以赶上看看最终的比武结果。

就这样,泰山披上了尼玛武士的锁子甲,带上了长矛和宝剑,和伯特伦一起驰下了圣墓谷的谷道,这时也正是鲍汉王实施了他的肮脏计划,把闺娜塔公主劫走的时候。

他们一行人还没有到达竞技场时,伯特伦从远处已经看出这里发生了什么不寻常的事,因为他看到滚滚烟尘从竞技场那面升腾而起,仿佛一群骑马的武士正追赶另一群向北飞奔的骑士。伯特伦用马刺踢了一下坐骑,他的马也立即飞奔上去,泰山催动坐骑,也紧随其后,于是他们开始了一场紧张的奔驰。他们到竞技场时,这里正是一片混乱。

这时,所有的妇女都骑在马上了,准备由哥伯瑞亲王委派的几名武士护送她们返回尼玛城。士兵们则集中地排成队列,所有这一切,都处在混乱之中,这里或那里时不时地都有人爬上看台的最高层,拼命向北方滚滚而去的尘土裹挟的云团里望去,想要看个究竟。

伯特伦拉住一个他认识的人问道:"这里发生了什么事?"

对方急匆匆地答道:"鲍汉抓住了闺娜塔公主,把她抢走了!"这可真是个让伯特伦吃惊的回答。

伯特伦愤怒地喊道:"哎呀！浑蛋！"然后转身向泰山问道,"泰山爵士！你愿意和我一道去塔救我们的公主吗？"

泰山没有回答,只是踢了踢他的马,放开缰绳纵马和伯特伦并肩飞驰而去,他们两人骑马驰过平原。

而在他们前面,布莱克离他要追赶的圣墓城的武士们越来越近了。这时尘雾很浓,尽管劫掠公主的逃跑者可以利用这一团尘雾隐蔽自己,而布莱克也从其中得到了好处,因为逃跑者也同样没有注意到布莱克已经越追越近了。

布莱克既没有带长矛,也没有带盾牌,但他的宝剑却在他身边叮当作响,在他的右边腰上还挂着一只四五式手枪。这是他来到尼玛城之后一直带在身边的另一个世界、另一个时代的东西。有时尼玛人对这个陌生的东西很好奇,而布莱克总是回答说:"它不过是一个护身符罢了。"而在他心里,却总认为这枪说不定哪一天就会派上用场,而且会对他大有帮助。这一点,却是那些单纯的武士和女士做梦也想不到的。

今天,他庆幸自己带了枪,这意味着他所爱的女士,可以因此改变被俘的地位,甚至获得自由。

渐渐地,他越来越接近落在队伍后面的圣墓城武士了。他们的坐骑都是经过精选,而又经过良好的饲养和训练的,都有极强的耐力,能负载穿着重甲的人,并且一直保持着稳健的步伐。

一群战马的铁蹄踏起了直冲云霄的尘土。透过这迷蒙的尘雾,布莱克仅仅能看见他前面骑马者的身影,他自己的大黑马,也非常有力而疾速、勇猛,至今没有表现出一丝疲劳的征兆。布莱克手中提着宝剑,做着随时准备厮杀的姿态。他现在已看不出是一个黑衣骑士了,因为他身上落满了尘土,因此他的全身都变成灰色的了,头盔、身上的甲胄,以及富丽的马衣,甚至黑马本身,都布满了一层灰色的尘土。

布莱克看到离他越来越近的一个骑士也是灰色的。这一发现使布莱克突然心头一亮,他一下子就明白了这种伪装的价值。因此,他催马向前,速度比他前边的马要快一点。他一步步穿过骑士们的行列,什么时候当他发现一匹坐骑上有两个人的时候,那就一定是他要寻找的目标了。

有一瞬间,他收剑入鞘,打马向前,掠过一个个身边的骑士。当他逐渐赶到前面时,他被发现的危险也越来越大,因为队伍的最前面,尘土是最少的。好在他在队伍中穿行时,他的豹皮头盔、他的脸和他的锁子甲上,早已布满了一层厚厚的尘土,即使从对方骑士身边穿过,也不会被一眼识破。

有一次,一个骑士居然对他喊道:"喂,是你吗?珀西勒?"他只回答了一声:"不。"然后就赶快催马,又往前面跑去了。

突然,他模模糊糊地发现,有几个骑士簇拥在一起,而且,在一刹那间他清楚地看到,在他们中间一个女人的有颜色的外衣在风中飘闪了一下。于是他挤进他们中间,终于看清了有位女士被一个骑士带在马上。

布莱克抽出了宝剑,催马直接挤上前去,插入两个骑士中间,贴近那个带着闰娜塔的骑士。然后他左右挥剑,出其不意地把身边的两个骑士砍下马去。

他又踢了一下大黑马,它猛蹿了两步,和前面那个骑士几乎并肩而驰。布莱克刚才的动作,非常地干净利落,那个骑士丝毫没发觉身后出了问题。

布莱克用他的左臂抱住了公主的后腰,把她拉到了自己身后的马背上,还没等那个骑士明白过来自己的坐骑为什么轻了的时候,一把宝剑插入了他的后背,他连剑带人一起从马上滚了下去。

就在这时,对方队伍里的人似乎明白过来了,愤怒的呼喊已经从布莱克周围武士们的口中传出,布莱克杀武士,救公主,两只手都不得空闲,缰绳暂时松松地放在鞍前。对方武士拖着剑、骑着马紧靠在布莱克左右,一个武士从马鞍上踏着马镫站了起来,举剑准备从身后向布莱克劈来,另一个也挺剑向布莱克刺去。

在这紧急关头,突然发生了一件事,是圣墓城的武士和他们的祖先都无法理解的。一只蓝黑色闪亮的四五式手枪,从布莱克臀部的枪套里抽了出来,只听得一声震响,布莱克右后面的武士从马上一头栽了下去。布莱克在他的鞍上向另侧一转身,对准他左后方的那个武士又是一枪。

布莱克周围的战马都被吓惊了,四散狂奔起来,大黑马也有点受了惊吓,当布莱克把手枪插入枪套时,这匹马几乎失去了控制,直到布莱克重新抓住缰绳。布莱克本来想穿过圣墓城武士的队伍,转头向南面的尼玛城方向跑去。布莱克非常明白自己处境的危险,他知道在身后有许多紧追不舍的圣墓城的武士,很可能他还没有给公主找到安全的庇所,就会被冲上来的大群武士杀死。

这时圣墓城的武士已经在他转身向回走的路上拉开了密集

的散兵线,他看见他们已经从他左侧追来,他只好改变方向,仍然向北方跑去。

追他的人越来越近了,布莱克发现他不得不再次抽出枪来,向紧追不舍的人们开枪。一声轰响之后,那些就要围上来的武士都停了下来,那些马也不听使唤地四散冲去。布莱克的大黑马也疾驰起来,差一点儿把他和公主摔下马去。

当布莱克重新把马控制住的时候,圣墓城武士们所扬起的尘雾,已远远地落在了他的后面。这时距布莱克左侧的不远处出现了一大片树林,它纵深的黑暗至少可以为他提供暂时的藏身之处。

布莱克带着公主不声不响地进了树林。进去一段路之后,布莱克把公主轻轻扶下马来,把大黑马拴在树上。布莱克从早上进入竞技场一直到现在还没有休息过,大黑马也像主人一样筋疲力尽了。

布莱克从大黑马背上卸下沉重的马鞍和马衣,马笼头和嚼环也都卸了下来,只留下一片薄薄的马衣搭在马背上,这样既可以让黑马去去汗,让它稍微凉爽一些,而又不致引起感冒。当他把这些事做完以后,他才看了公主一眼。

这时,公主正靠在一棵树上,也在看着他。

"武士先生,你很勇敢。"她轻轻地说道,不过,她又加了一句,"但你仍然是一个乡巴佬。"

布莱克满脸倦容地微笑了一下,他实在是太疲倦了,没有心思去和她争辩。

布莱克想到此时应该让马缓缓地走动走动,可他自己实在做不动这件事了。他没有管公主对自己说了什么,于是他对公主说:"我很抱歉请您替我做一件事,我们的大黑马不得不走动走动了,我太累了,实在做不动这件事了,您是不是可以……"

闰娜塔公主睁大了眼睛吃惊地看着他说:"你……你……"她有些口吃地说,"你是说要我牵着这个畜生去走几趟吗?你别忘了,我可是公主呀!"

布莱克回答说:"我实在是干不动了,闰娜塔!我告诉你,我实在是筋疲力竭了,从太阳升起到现在,我就披着这一身盔甲战斗到现在。你不得不去做我说的这件事。"

"不得不?你是在命令我吗?可恶!"

"闭嘴!你这个不懂事的女孩子!"布莱克有些唐突地回答说,"我要负责你的安全,而这件事还得完全依靠这匹马。快点去吧!照我的话去做,你牵着马让它慢慢地走几圈。"

闰娜塔公主眼里饱含着愤怒的眼泪,她想回敬布莱克几句,但她看到布莱克眼睛里充满了疲劳的神色,只好把话咽了回去。她看了他好一会儿,然后转身走到大黑马跟前,从树上解下它的绳子,慢慢地牵着它走来走去。这时布莱克倚着树干坐在地上,从这里望出去,看平原上是否有人追过来。

闰娜塔公主领着大黑马走了半个多小时,她始终沉默着,布莱克也坐在那里沉默着,并且始终注意着外面峡谷里的情形。现在,他突然站起来,转向公主,并对她说:"好了,这太好了,谢谢你!我现在要给它做一阵按摩了。要不是我太疲乏了,不会烦劳你做这件事。下面的事就让我来做吧!"

闰娜塔公主没说什么就把大黑马交给了他,他用干树叶子从它的头部,一直擦到它的尾根。当他把马的全身都擦干了以后,把马衣又给它披上,然后走到公主的身边坐了下来。

他的眼睛打量着公主,看着她笔直的鼻子,她微微翘起的嘴唇,她带点骄傲扬起的下巴。布莱克止不住这样想:"她是美丽的。但是有些骄傲、自私,甚至有些残忍。"当她转眼看着他时,她的目光好像故意看着布莱克背后的远处,似乎借此掩饰她脑中的想法。

后来,布莱克又发现她目光中有些不安,她的目光转来转去,似乎注意力集中在树林深处,有时又看着上面的树枝。再后来,她的目光盯着树林深处不动了。

布莱克问道:"有什么事吗?"

她说:"我觉得有什么东西在树林里移动,我看我们还是走吧!"

布莱克回答说:"现在天已经快黑了,我想,最好还是等天黑以后再回尼玛城,更安全些。恐怕鲍汉的武士们还在搜寻我们。"

公主叫道:"什么?我们留在这里直到天黑?你不知道这是什么地方吗?"

布莱克问道:"怎么了?这地方有什么问题吗?"

她向他靠近了些,恐怖地睁大了眼睛说:"这里就是所谓的猎豹树林啊!"她的声音压得很低,似乎非常害怕。

布莱克追问说:"是吗?"

"这里穴居着尼玛的大猎豹。"她继续说道,"而且天晚了以后,除非帐篷里有守卫人员,并且点起驱赶野兽的篝火,人们才敢留在这儿。即使这样,有时猎豹也会突然跳进来,拖走一个守卫的士兵。在帐篷里有时还能听到它吃人的声音。"

她的眼睛忽然一亮,好像有了一种新的想法,说:"可是,我看见你有那只奇怪的,能发出震响的武器,你就是用这个玩意儿杀死鲍汉的武士的。我想,你一定也能用它杀死这树林里所有猎豹的。"

布莱克犹豫地回答说:"或者,还是现在就走吧!因为我们要回尼玛城,还要骑马走很长的时间呢!天毕竟就要黑下来了。"

他一面说着一面向大黑马走去。当他几乎走到马前时,大黑马突然仰起了头,两耳竖了起来,鼻孔也胀大了,眼睛向树林的深处望去。有一会儿,大黑马的身体颤抖得像风里的树叶一样,接着发出一阵喷鼻的声音,用它全身的力气和重量,在扯拴它的那根缰绳。只听咔嚓一声,缰绳被它挣断了,它一个转身,就向平原飞跑而去。

布莱克立刻抽出了他的枪,注视着树林深处。但他看不到什么东西,嗅觉也不像泰山那么灵敏。

这时,有几只眼睛正注视着他,而他却看不到这眼睛,然而那却不是猎豹的眼睛。

二十
"我爱你!"

泰山和伯特伦骑马紧追在尼玛武士队伍之后。他们赶上队伍时,布莱克还没有把闺娜塔公主夺回来。而在此之前,他们的武士已经赶上了圣墓城的一群武士,并进行了一场混战。

两方相遇时,泰山看到双方的武士们在捉对厮杀,他眼见对方的一个武士把尼玛城的一个武士用长矛挑下马去,然后这个胜利者就看上了泰山。

"该轮到你了!骑士先生!"圣墓城武士大声喊道,接着挺起长矛,催马直奔泰山而来。

对泰山来说,他还是第一次经历这种战法。他对这种骑士用长矛的攻击,就像他在文明世界对于乒乓球比赛一样陌生,这可以算是他第一次冒险。但是,他从儿童时期就学会了使用标枪,因此,他微笑着等待那个武士向他进攻。

泰山爵士就那么泰然地等待着,圣墓城的那个武士非常不理解这种神态,只见他泰然自若地一动不动,似乎并不觉得这是在你死我活地作战,甚至连长矛也不挺起来准备抵挡。

伯特伦武士拉着他的缰绳在旁边观战,他也不明白这个英国人心里到底是怎么个打算,他也同样迷惑不解。他心里在琢磨,难道这个人疯了吗？或许,他被对方的攻击吓呆了？

当对手靠近泰山时,泰山在马镫上站了起来,同时把他的长矛举过头顶,身体稍向后仰,当对手离他大约有五步的时候,他突然投出他沉重的长矛,就像他平时在狩猎或战斗中经常投出他的投枪那样,灵巧而准确地把长矛投了出去。

这不是格雷斯托克爵士面对圣墓城武士的方式,也不是大猿群中猿王的方式,而是瓦齐里首领常用的方式,可以说在世界上再没有另外的手臂,能像他这样孔武有力地投出手中的长矛。

他的手臂向前甩出,那支沉重的长矛竟会像一支箭那样飞向前去,它直奔圣墓城那个武士而去,那个武士用盾牌一挡,长矛正中盾牌的凸面上部,一下子劈开了这块木制盾牌,穿进了圣墓城武士的心口。就在这同时,泰山拨开马头,他的敌手就在他的身旁,向后一头栽了下去。

武士伯特伦摇摇他的头,催马向前,去迎战向他冲来的对手。他无法肯定泰山爵士的这种动作是否完全合乎战术,但无可否认的是,泰山有一种令人羡慕的神力。

继续下来的战事把泰山引向西去,他的长矛已经被他掷出,现在他只好用剑继续战斗。

在泰山过去的生活中,还从来没有看见过如此激烈的战斗和如此勇敢而又酷爱战争的人。他们似乎以对抗为荣,以战斗为乐,甚至达到了一种疯狂迷恋的状态。泰山觉得这种专注和痴迷的精神状态有点可爱,这是一种怎样的人,怎样的战士啊！

一个武士向泰山冲来,他们的剑,在彼此的盾牌上叮当作响。他们冲过来,挡过去,每一次交锋,他们都站在马镫上,高高举起剑来，向对方狠狠劈去，都想砍掉对方的脑袋。

这次，圣墓城武士的剑从泰山的盾牌上滑向他的马头，但泰山的剑却得以刺向了对方的咽喉。

泰山的马倒下来时，他敏捷地跳到了一边，而那匹主人被杀了的马，却如飞地向圣墓城的方向狂奔而去。

泰山向周围一看，他发现只剩自己一个人留在这片战场上了，而远在东北方向，却升起了激战武士马匹踢起的滚滚烟尘。这时他已能清楚地看到尼玛城静静地延伸在平原的南方。他估计当战争结束时，布莱克会骑马到那里去，因此泰山不再恋战，转身向尼玛城走去，这时，太阳已经向西沉落下去了。

泰山穿的锁子甲非常沉重，他感到很不习惯，既热又不舒服，没走出多远泰山就把它脱下来丢在了路上，只带上了自己的刀和绳子，一身轻松地赶路。

伊本扎得离开圣墓城，向远处另一座城堡走去，他也看到了那不断升起的滚滚烟尘，这使他很不安。他并不知道那片烟尘正是由归来的圣墓城武士和紧追的尼玛城武士乘骑的马匹踢起来的。

当他看到在他右边不远处有一座树林时，他想不如先到那里躲一躲，以便弄清楚这迅速走近的烟尘究竟是怎么回事。

树林里有点阴冷，伊本扎得和手下，就藏身其中。"我们就躲在这儿吧！"一个叫阿布得阿兹的贝都因人建议说，"我们就在这儿等到傍晚，然后在黑夜的掩护下，接近那边那个城堡。"

伊本扎得同意这个建议，所以他就在树林深处，找了块地方休息下来，并且等待着，他看到烟尘从树林外远处滚过，直奔圣墓城去了。

伊本扎得说:"我们幸亏在那些人回去之前逃出了那个城堡,不然,被他们撞见了还真是麻烦。"

忽然,他们看到一个骑马的人走进了树林,或许要经过这里向南去,这个人到底要往哪里走,目前他们还不知道,他们对一个单独骑马的人是不感兴趣的,所以,一开始他们并没有怎么注意他。后来,渐渐看出来,这个人要么是在马上带着另一个人,要么就是带着一个大包袱。因为现在距离还有点远,他们无法看清楚,只是从轮廓上作出了这样的判断。

阿布得阿兹小声说:"我们或许能在南边的城堡里发现更多的珍宝。"

伊本扎得接着说:"那个美丽的女人,就是巫师说的那个,她或许没有在我们今天早上离开的那个城堡里。"

法德说:"大概,我们将要去的那个城堡,会有更漂亮的。"

伊本扎得咂了咂嘴唇说:"我要找的女人,一定是比传说中阿拉伯的天神女更漂亮。"

当天快黑时,他们在半黑暗中谨慎前行,就在离树林边缘大约有一英里时,走在前面的人听到了说话的声音,于是伊本扎得派一个人到前面去探个究竟。

这个人很快就回来了,他的眼睛睁得大大的,带着惊讶的表情报告说:"伊本扎得,你不用再找了,天神女就在前面呢!"

于是伊本扎得尾随着这个侦察兵向前走去,后面,他的同伙也跟了上来。当他们从西面接近布莱克和闺娜塔时,正是大黑马挣脱缰绳逃跑的时候,也正是布莱克听到了响动拔出了手枪的时候。伊本扎得知道他们再也隐藏不住了,于是叫法德过来说:"你在北方的军队里待过,他们异教徒说的话,只有你懂。现在你用他们的话去告诉他,我们是他们的朋友,现在只是迷了路。"

当法德向前走去,看清闺娜塔公主时,他的眼睛不由得眯了起了,浑身竟像打摆子一样颤抖。他一生中都没有见过这么年轻漂亮的姑娘,连做梦也没有想到过,竟会亲眼看到这么可爱的一个天神女。

他从隐藏着的灌木丛中走出来,大声喊道:"不要向我开枪!我们是朋友,只是我们现在迷了路。"

布莱克立即问道:"你们是谁?"他很奇怪为什么在圣墓谷里,竟有会说法语的人。

法德回答道:"我们是穷人,从沙漠之国来的。我们迷了路,请帮帮忙给我们指个路吧!安拉会降福给你们的。"

布莱克说:"走出来,让我看到你们!如果你们真是朋友,你们无需害怕,我也遇到了麻烦事,也同样在找路呢。"

法德和伊本扎得走了出来,当能看清他们时,闺娜塔声音发抖地小声对布莱克说:"撒拉逊人!"并紧紧抓住了布莱克的手。

布莱克说:"我已经猜到他们是撒拉逊人,但你不用害怕,我不会让他们伤害你。"

闺娜塔不信任地问道:"他们难道不会伤害一个十字军吗?"

布莱克说:"这些人大概从来也没听说过十字军的事。"

闺娜塔小声对布莱克说:"我不喜欢他们看着我时的那副样子。"

"是的,我也一样,也许,他们真的不会伤害我们。"

伊本扎得率领的这群人脸上带着微笑逐渐向他们靠拢。法德用法语反复声明并保证他们是友好的，他们表示很高兴遇到两个当地人，可以指引他们走出峡谷。他们询问了许多关于尼玛城的事，而与此同时，他们靠得越来越近。

忽然之间，微笑从他们脸上消失，不知他们的酋长发出了一声什么号令，四个彪形大汉跳到布莱克身旁，一齐动手把他压倒在地，从他手中夺走了手枪，与此同时，另外两个人也抓住了闺娜塔公主。

只一会儿工夫，布莱克就被绑得紧紧的了。但是伊本扎得反对杀死他，因为他们正处在一个危险的峡谷中，而这个峡谷里有很多人是这个被绑者的朋友，弄不好就会惹来一场战争，说不定会有一些贝都因人落入此人朋友的手中，所以，最好还是给这个人留一条活命。

布莱克一边说着威胁他们的话，一边也在适度地答应他们的要求，甚至向他们说好话，求他们放开闺娜塔。但是法德只是大笑，并且用唾沫吐他。有一阵，他们几乎要杀死布莱克了，有一个贝都因人，手拿着一把锋利的弯刀，只等着伊本扎得下命令了。

就在这时，闺娜塔挣脱了抓住她的人的手，扑到布莱克身上，用她的身体保护了布莱克。

她大声叫道："你们不能杀死他！如果你们一定要基督徒的血，那么，杀死我好了，但一定要把他放了！"

布莱克说："他们不懂你的话，闺娜塔！他们或许会杀死我，但这并不要紧，你却必须从这里逃走！"

闺娜塔急匆匆地答道:"噢!他们绝不能杀死你!他们不能!过去我对你说过无情的话,你能宽恕我吗?我心里并没有那个意思。我之所以会那样说,是因为我的自尊心受到了伤害,马路德对我说,你说过伤害我的话,所以我才说了那些伤害你的话,其实我心里完全不是那样想的。你能原谅我吗?"

布莱克说:"你要我原谅?上帝都会赐福于你。你就是杀死我,我也会原谅你的。不过我一定要问清楚,马路德告诉你我说了你什么坏话?"

闺娜塔说:"噢!这些你不要往心里去,我不在乎你说了什么,我原谅了那些话!请再说一遍我在你的盔甲上祝福时你说过的话吧!不管你对马路德说过什么,我都能原谅。"

布莱克坚持地问:"马路德到底说过什么话?"

闺娜塔小声说:"他说你会赢得我,但是会把我的爱丢到一边。"

布莱克愤愤地说:"这条杂种狗!你必须知道他是在说谎,闺娜塔!"

闺娜塔也坚持说:"请再说一遍你说过的真话,我就会相信他是说谎。"

布莱克大声说:"我爱你!我爱你!闺娜塔!"

这时几个贝都因人过来,用力把闺娜塔拉了起来。伊本扎得还在和一些人争论该怎样处置布莱克。

伊本扎得最后说:"我的老天,我们只得把这个异教徒留在这儿,如果他死了,也没有人敢说是贝都因人杀了他。"过了一会儿,他继续说:"阿布得阿兹!你带上一些人,穿过峡谷到那面的城堡里去。快点！我们要走出一段路之后,再商议以后的事,这个异教徒很可能懂我们的话,他比我想象的要懂得多。"

当他们向南走时,闺娜塔再一次想挣脱开,但是他们把她拉得紧紧的。她不断转脸向后看着,当他们拉着她向树林外面走去时,她的声音穿过降临的夜幕,留下了清清楚楚的一句话:"我爱你！"

从布莱克那里走出好远一段路之后,贝都因人停了下来。伊本扎得对阿布得阿兹说:"我们就在这儿分手,你去看一看那座城堡究竟是不是一个富有的地方,同时也看看那里守卫的力量是不是很强,我们能不能到那里掠夺。我们将驻扎在北面的坡后面。

"我将带着这些珠宝很快离开这个峡谷。而且,不止这些,还有这个美女。我敢打赌,到了北方,她准能卖一个很高的价钱,要是不卖,我们也可以从她的家族那里得到一笔很大的赎金。"

伊本扎得最后说:"走吧！阿布得阿兹,安拉会保佑你！"

说完,伊本扎得直接转向了北方。

布莱克听到贝都因人逐渐远去的脚步声,努力挣扎了一阵,但是骆驼皮条把他绑得确实太紧了,他只好静静地躺在那里。周围非常寂静,他感到了可怕的孤独。这座被叫作猎豹丛林的地方,如今是又大又黑,他又被捆得动都动不了。有一阵,他甚至听清了爪子落地的声音,一个浑身是毛的动物,穿过灌木丛逐渐走了过来,然后,似乎又渐渐走远了。他觉得一分钟一分钟地慢慢过去,这样过了总有一个多小时。

月亮升了起来,又大,又圆。这带着微红色的月亮,从远山的背后,仿佛飘浮一样地升了上来,今晚竟有如此清朗的月色,他心里暗想:这月亮既会照到闺娜塔,也会照到他自己。他悄声地对月亮说:"请向可爱的公主传递一个信息吧!这是布莱克平生第一次坠入爱河。"他几乎忘了自己是被捆着的,也忘记了可能遇到的猎豹的威胁,现在,在他脑子里不断回旋着的,是当他们分别时,闺娜塔回头向他大声呼喊的那三个字。

那是什么?布莱克突然从他的回忆中惊醒过来。他睁大了眼睛,向丛林的黑暗处望去,那里正有什么东西在移动。是的,它是一种偷偷走路的声音,爪子扑嗒扑嗒地,树枝擦着它的身体,发出窸窸窣窣的声音。没错,这一定是丛林里的猎豹夜间出来觅食了。

咦?在附近的树上一定还有什么东西在移动!布莱克仔细看去,他可以肯定在他上方的树枝间,确实有一个黑影在移动。

从东方升起的明亮的月亮,现在已经渐渐升上了树梢,月光直照到布莱克躺着的地方和他的周围。

借着月光,布莱克已经能够看见一只正在走过来的大猎豹,它的身体已经被月光照得清清楚楚了。

布莱克已经能够看到它发着蓝光的大眼睛,它瞪着他,像两团火在燃烧。他现在却无法挣脱绳索,丝毫没有从这个大家伙身边逃走的可能。

这个食肉动物正在趴伏着前进,几乎是一寸一寸地向前移动,就好像在琢磨如何扑上前去,把他撕个粉碎。布莱克甚至已经看到它的尾巴在神经质地摇摆着,他看到它的獠牙已经露了出来。这个畜生现在把肚子紧贴着地面,它的肌肉绷得很紧,它就要跳起来,扑上来了。已经毫无办法的布莱克,甚至无法闭上眼睛,不看它扑上来时那种令人魂飞魄散的样子。

这时,布莱克看到猎豹向后一顿,猛地向上跳起来,像一只大猫一样扑上来了。但就在这紧要关头,他忽然看见有个什么东西在空中一闪,猎豹竟直立起来,停在半空中,他仔细一看,原来豹被拉到树上,吊起来了。

这时,他看到一个有些熟悉的身影,原来是一个人,正是这个人用一根绳子,套在猎豹的脖子上,把它吊了起来。整个事情就发生在猎豹跳起来的一瞬间。

猎豹此时又抓又叫,但都无济于事,它还是一点点被提上去,当它的身体接近一根粗树枝时,从枝叶的间隙中伸出了一只有力的手,扭住猎豹的后颈,然后另一只手把一把刀子直刺进猎豹的心脏。

当猎豹停止挣扎时,树上的手把绳子松开,猎豹的身体就掉在布莱克身旁。然后,那身材高大的,像天神一样的人,几乎半裸着的身体,接着从树上跳下来,径直落到铺满落叶的地上。

当布莱克看清了那个人的时候,他发出一声又惊又喜的喊叫:"人猿泰山!"

"布莱克吗?"泰山问道,然后又说,"我总算找到你了,没想到我们竟是这样相遇。"

说着,泰山给布莱克割断了捆绑他的皮条。

布莱克问道:"你在找我吗?"

"自从我知道你和你的探险队失散以后,我一直在找你。"

"啊,真的,我真要感谢你。"

"那么,是谁把你捆绑在这里的?"

"一伙贝都因人。"

泰山听了,嘴里生气地咕噜了一声说:"准是伊本扎得那一伙人。"

布莱克说:"他们还绑架了一个和我在一起的女孩子,我知道用不着我请求,你一定会帮助我去救她的。"

泰山问道:"他们是向哪条路走的?"

布莱克向南一指:"那里。"

"他们走了有多久了?"

"有一个多小时了。"

泰山建议说:"你最好脱掉这套锁子甲,它让我们走起路来很不方便。我刚才已经领教过了,所以我把它扔掉了。"

在泰山的帮助下,布莱克很快地脱掉了他那一身笨重的锁子甲。然后,他们两人循着贝都因人明显的足迹向前走去。但是,当他们追踪到伊本扎得向北转向的地点,他们弄不清楚该去追踪哪一条足迹了,因为这里恰好有两条不同方向的足迹,一条向南去,一条向北去。而且就在这里,闺娜塔的足迹也找不见了。人猿泰山听布莱克说贝都因人绑架了一个女孩子,他从闺娜塔被拉走的地方开始,就随时注意了她的足迹,可是到了这里,女子的足迹完全消失了。

泰山和布莱克不知道在这里究竟发生了什么事。其实,当闺娜塔明白伊本扎得要把她带往与尼玛城相反的方向时,她就挣扎着不愿往前走,所以在此以前,她的脚印是清楚的。当他们往前走,接近尼玛城时,她还抱着一丝可以逃跑的幻想,但是到了伊本扎得和阿布得阿兹分手时,闺娜塔就拼命挣扎,拒绝跟着伊本扎得走,因为她明白这会使她成为一笔赎金的人质而远离自己的家乡。最后,他们把她绑在马上带走了,因而她的足迹在这里也就消失了。

这时,在这里刮起了一股强劲的东风,使得泰山灵敏的嗅觉也失去了作用,他无法辨别闺娜塔究竟是被哪一队贝都因人带走的。

泰山思考了一会儿说道:"据我估计,可能性较大的是,你的公主被向北的这一路人带走了。因为我知道,伊本扎得的大帐,是在那个方向。

"我想,伊本扎得不论是要以公主要挟赎金,或是把她带到北方去卖掉,他都会很快把公主带出峡谷,回到他的大帐里去。向南去往尼玛城的这一队人,很可能是被派到尼玛城去谈判的。所以我判断公主不会在往尼玛城去的这一帮人里面。

"我走路要比你快得多,如果弄清楚南面这一支人里确实没有公主,我会立刻转身赶上你,和你会合。如果公主果然是和向北去的人在一起,我劝你千万不要一个人冒险去救公主,最好等我回来帮你。因为你现在没有武器,而那些贝都因人要杀你,就像喝一杯咖啡那么容易。现在,祝你幸运!"

人猿泰山说完之后,一路小跑循着尼玛城方向的足迹追了下去,同时,布莱克也转向北方,朝着阴暗树林中另一路追去。

二十一
"抢掠珠宝必用血来偿还"

整个晚上,伊本扎得和部下都在向北行进。闺娜塔公主不断地反抗,对他们多少也产生了点牵制作用,但他们仍然很快地向前走,因为他们带着这么多劫掠来的财宝,害怕逃不出这个峡谷,他们更害怕的是被那一群武士发现而受到攻击。现在他们确信城堡里确实住着很多很多人,只是在他们进行掠夺时,恰逢他们全体外出罢了。

贪婪给了他们极大的勇气和耐力,这种动力使得他们显得与平时的懒散大为不同。最后,他们终于来到一处嵯峨的山脚下,伊本扎得决定,即使再艰苦也要翻过这处石山。现在看来,翻这座山比原先他们穿过层层城堡,和他们经过那条平坦的大路要容易得多,因为在那些地方他们随时有可能受到守卫武士们的攻击。

当他们疲惫不堪地翻越过了石山之后,他们才发现所处的位置,恰巧在城堡外的碉堡,他们悄悄地鱼贯而行,向驻扎在下面山坡上的贝都因大寨直奔而去。

终于,他们还是被守望在碉堡上的卫士看见了,守卫们派出一小队人去袭击这群不明身份的人。当骑士们追到伊本扎得队伍的尾部时,武士的队长已经看到了闺娜塔公主,并认出了她。但是正在这时,一阵发自伊本扎得部下的火枪,却把鲍汉王勇猛的士兵打退。尽管他们中有人挺起了长矛,催动坐骑,直冲伊本扎得他们杀来,但是一颗子弹打中了这个骑士的马,战马倒下来时,人也被摔了下来。

伊本扎得和他的部下,踉踉跄跄跑回他的大营时,已经是下午了。尽管这些人已经十分疲惫,但是伊本扎得只给了他们一个多小时的休息时间,然后就仓皇地发出了拔寨起身的信号。

沉重的珍宝被分装了好几大包,都交给了伊本扎得比较信任的人。而那位被俘女子的监管权,却交给了法德。法德眼睛里流露出来的目光,常使公主感到莫名的恐惧。

斯廷保原先认为贝都因人关于珠宝和城堡里美丽女子的传言,都不过是荒诞的胡说,他对这些从内心里存在着蔑视,而现在,这一切都实实在在地摆在他面前了,他几乎怀疑自己是头脑发昏了,才会看到这一切。

斯廷保又虚弱又疲乏,跟着这些人一起走,他尽可能离法德越近越好,因为他知道,这些人中只有法德有可能帮助他。而从法德的角度说,一个活着的斯廷保就意味着一大笔财富,法德对此怎么会无动于衷呢?然而现在法德的脑子里,却有另外一个想法了,这个迷人的白人女子,使他头昏脑胀得几乎到了要发疯的地步。

斯廷保答应给法德的一大笔财富,使他足以供养得起这样一位天神般的美女,否则,他就只能把她卖掉,来获取大量的财富。而现在法德的脑海里,产生了各种各样的计划,他不但想占有斯廷保,他还想单独占有闺娜塔。但不论他怎么计划,他都无法摆脱那贪婪而又阴沉的老酋长的影子。

当他们走下圣墓山时,伊本扎得带着他的人转向东去,以避免再一次穿过巴顿多的村子。过了石头山脉的最东边,他再转向南,走过一程之后,再转向西,这样刚好是沿着泰山属地的边沿前进。尽管他认为泰山已死,但是他仍担心遭到泰山部下的报复。

到了傍晚,伊本扎得扎营时,晚餐已匆匆地准备好。煮饭灶下的火光和纸灯笼的光亮都幽暗而摇曳不定,但是阿蒂亚眼尖,她还是看见了一件事。那就是法德在端给伊本扎得的饭碗里,以极迅速的动作投下了一些什么东西。

当伊本扎得酋长正要把手伸向他的木碗时,阿蒂亚急步从后帐扑过来,一把把那碗食物打翻在地。但是还没等她解释清楚为什么要这样做时,法德明白恶行已经败露,马上跳起来,抓起火枪窜入了妇女的后帐,那里正是希儿法和阿蒂亚监视闺娜塔的地方。

法德抓住闺娜塔的手腕,拉着她,掀开帐篷的后部冲了出去,直奔他自己的帐篷。而这时,伊本扎得的前帐却闹将起来,老酋长要求阿蒂亚说明原因,却没有注意法德已经离开。

阿蒂亚大声说:"他在你的食物里下了毒!我看见了!他现在急忙逃跑,就是个证明。"

伊本扎得怒冲冲地大声喊道:"该死的,一个狗崽子敢对我下毒手,把他给我抓了来!"

希儿法大声说:"他从后帐跑出去了,还把那个女异教徒也抢走了!"

酋长的部下都站了起来,去追赶法德。但在法德的帐前,他们遭到了法德的枪击,只好暂时退却。法德从他的帐篷里叫起了斯廷保,把他从睡席上拉了起来。

他在斯廷保耳边说:"嘿,伊本扎得就要发出命令杀死你了,快跟我走!我会救你们出去。"

法德仍然从帐篷后面钻了出去,再绕到营地前面,趁大帐里一片忙乱之时,他们从营地的前门向远方黑暗处逃去。

当詹姆斯·布莱克跟着伊本扎得的足印来到石山前的时候,天已经快黑下来了,于是他循着石山,慢慢爬上陡峭的山崖,翻上山顶,然后站在那条从圣墓谷通向外界的小路的起点。

在他右侧一百多米的地方,在薄暮中隐约可见的是竖在外碉堡上的瞭望塔,而在他的左侧,有一条小路,他估计沿着这条小路,可以追上他心爱的人。在他周围的灌木丛里,正隐藏着鲍汉王手下的士兵,当然,这是布莱克根本猜想不到的,因为他怎么会知道伊本扎得的队伍过去以后,鲍汉王在这里埋下伏兵,等待着可能出现的后续来人呢?果然,这些人眼见着布莱克从石山的陡崖上艰苦地爬了上来。

布莱克长途跋涉,没有吃东西,也没休息,甚至连水也没喝,他身上没有武器,更加重了心情的紧张。当十几个武装士兵从灌木丛中钻出来,把他围起来时,布莱克一点抵抗的力量也没有了。就这样,武士们把布莱克带到了鲍汉王面前。鲍汉王发现,原来他就是那个挫败了他美妙计划的黑衣骑士,这使鲍汉王出离地愤怒。

按照鲍汉王的条令,确定布莱克应该处以死刑,他于是命令手下把布莱克锁起来。武士们把布莱克领到城堡下面一个暗室中,那里点着火把照亮。有一个铁匠做了一个铁箍,套在布莱克的一只脚腕上,铁箍有一根链子固定在石墙上。

借着微弱的火光,布莱克看了看周围,见还有两个赤裸着上身、十分消瘦的人被锁在那里。在更远的角落里,有一具骷髅和白骨,伴着生锈的锁链和一个大铁环。最后,铁匠和守卫们都退出去了,只把寂静留在了暗室之中。现在的布莱克,不仅极度疲劳,同时也陷入了悲观绝望之中。

在尼玛城下的平原上,泰山终于追上了阿布得阿兹率领的那一部分贝都因人,他仔细观察了一阵,发现这一部分人中并没有公主,于是他决定转身返回。他的行动非常轻,没有使自己暴露,然后就转向北方,急匆匆去追赶另一部分人的踪迹。

因为需要食物和休息,泰山在中午最热时在猎豹丛林里休息了一阵,并猎取了一头野猪当午餐。吃饱之后,他找了一根高处的向外伸出的树枝,估计这里不会有别的动物打扰,就小睡了一会儿。直到太阳偏西他才开始动身,迅速赶路。

有一段时间,他找不到布莱克的足迹了,但是公主的足迹却经常出现。泰山断定公主被这群贝都因人俘虏,他很容易追踪到伊本扎得这一大群人的足迹。不过有一段路上,他只找到贝都因人中女子的足迹,公主的足迹却消失了,这使他有些不解。

他费了一些心思,去寻找其中的原因,后来,他终于找到答案了。他想,这恐怕是公主纤细精致的鞋子,在走过石山时,已经磨坏了,所以她只好改穿了贝都因女人的鞋子,这样一来,泰山就很难分辨出她们的脚印了。事实也确实如泰山所猜想,公主穿了阿蒂亚的鞋子,她们俩的身体重量几乎一样,走路的姿势也差不多,结果使她们的脚印也就没什么区别了。

就这样,泰山只好始终追踪着这一整队人,一直到宿营的时候。也就是在这个地方,法德从酋长的营地里劫走了闺娜塔公主。伊本扎得没有发现他们是趁黑夜转向西去的,所以,第二天,酋长仍然领着他的人向东进发。

当泰山循着伊本扎得等人的足迹追踪而去的时候,有一百多个健壮的瓦齐里武士正从贝都因人走过的老路上,也就是铺满卵石的河水湾处向北走去。和瓦齐里人一起的还有赞得,他在瓦齐里人走过加拉人的村庄时,再三恳求他们把他带上,他说他在这里等着他们的到来已经有很多天了。最后瓦齐里人答应了他的要求。

就在伊本扎得这一群人绕过圣墓谷边石山的最西端开始转向南走时,泰山终于追上了他们。他看见他们携带着伊本扎得最关心的那些大包裹,并且看见有人时不时地去监视或点验那些扛包裹的人。泰山敏锐地意识到这个老奸巨猾的偷盗者一定是偷到了珠宝。但是泰山并没看见有关公主的明显痕迹,而且他连斯廷保也没找到。

泰山对于贝都因人的抢劫偷盗行为非常愤怒,这些人居然敢侵犯他的领地。泰山更为愤怒的是,他觉得在某种程度上,他被贝都因人戏弄了。

泰山对于敌人从来都有他自己的严厉惩罚方式,而且在惩罚里也总带着他独有的幽默感。

他相信这些贝都因人一定认为他已经死了,而且在现在这个时刻，他也不愿意让他们明白，他们当时杀死的并不是泰山本人。但是从现在起，他一定要让他们深刻地领教到他愤怒的分量，必须让他们尝到罪恶所换来的苦果。

泰山无声地在树林间穿行，他走的路和贝都因人是平行的，时时能从树木的缝隙间清楚地看到他们。但他们连做梦也想不到，就在此刻，泰山的眼睛在紧盯着他们每一步行动。

贝都因人中，有五六个人背着大包袱，那里面大概就是他们劫掠来的财宝，表面看起来那分量似乎不是太重，但是一个有力气的人，也只能携带着它们走一段不太长的路。泰山观察了很久，见他们总是和伊本扎得在一起。

现在路宽敞起来，酋长总是走在一个背包袱人的身旁。丛林里非常安静，即使贝都因人之间，偶尔有什么人彼此交谈，周围仍然显得非常寂静。天气很热，贝都因人已经无心交谈什么了。他们原来的加拉人挑夫都被巴顿多截留回去了。

突然间，事先连一点儿警觉都没有，只听得空气中传来"嗖"的一声，一支箭穿过了一个贝都因人的喉咙，这个人就走在伊本扎得身旁。

只听他尖叫了一声，就一头栽向前去，扑倒在酋长的脚前。伊本扎得立刻招呼他手下的人都拿起火枪，准备迎接不知从何处来的攻击。但是他们环视周围，连一点敌人的影子也没找到。于是他们小心地听着，除了昆虫飞动的嗡嗡声，或者偶尔有一两声鸟鸣声之外，什么声音也听不到。可当他们撂下死去的同伴，再往前走时，却忽然听到一个巨大的带着回音的声音，来自遥远的前方。

"抢掠珠宝必用血来偿还!"这声音既怪异又低沉,而且还非常清楚,这些贝都因人长期以来养成了一种崇拜神力而迷信的天性,泰山知道如何利用他们这种天性,使他们产生极大的敬畏心理。

贝都因人现在正走在一个胆战心惊的旅程上,这声音时不时地出现在贝都因人队伍前面的上空。直到太阳快落山的时候,他们才找到一处可以宿营的地方,他们都十分盼望早一点离开这阴森可怕而又怪异的树林,可偏偏这树林总是连绵不断,最后,他们还是不得不找一块树林里的空地宿营。

营地里的篝火和食物使他们紧张了一天的神经松弛了下来,精力也得到了一点恢复,于是他们哼唱起一些歌曲,也有了谈谈笑笑的声音。

老酋长伊本扎得坐在他的大帐的前半部,周围摆着五只大袋子,袋子里面装满了珠宝。其中有一袋被打开着,在纸灯笼的光亮下,老酋长翻看着里面的珠宝。他的周围正坐着几个他的亲信,在慢慢地喝着咖啡。

忽然,有一件什么东西,沉重地落在大帐前面的地上,并且骨碌碌地滚进了大帐的前帐,滚到伊本扎得这几个人的面前。他们定睛一看,原来正是白天被一支不知从何处飞来的箭射死的那个人的人头!他那死瞪瞪的失神的眼睛,正瞪着他们,好像在质问他们,为什么把他的尸体抛在路上不管!

在座的人都惊呆了,他们只是看着这颗人头,没人敢去动它。这时,那可怕的声音又来了:"抢掠珠宝必用血来偿还!"声音就在帐外黑暗中的什么地方响起。

伊本扎得吓得浑身颤抖,好像打摆子一样。营地里其他的人,也都跑过来围在大帐前。每个人手里都拿着火枪,另一只手里哆哆嗦嗦拿着挂在他们身上的圣牌。因为他们相信,这件事只有什么神才干得出来。

希儿法站在前帐的后面,哆哆嗦嗦地看着前帐那颗血淋淋的人头,阿蒂亚爬到睡席上去,准备睡觉。她没有看到帐篷后面被掀了起来,也丝毫没有察觉有人爬了进来,因为后帐太黑了,前帐射进来的那点光亮,对这里来说实在是太微弱了。

阿蒂亚忽然觉得有一只手捂住了她的嘴,同时另一只手搂住了她的肩膀,有一个声音,悄悄地伏在她的耳朵上说:"不要出声!我不会伤害你,我是赞得的朋友,也是你的朋友。告诉我实话!那个被伊本扎得从山谷里抢来的女子到哪里去了?"

说完,他把耳朵放在阿蒂亚的嘴唇上,阿蒂亚吓坏了,浑身颤抖得像一片风吹的树叶,她从来没有见过神,她也看不见那个搂着她的人的整个身影,但她知道,这就是今晚让他们全体贝都因人都深怀恐惧的那个神。

"快说!"那个声音又在她耳边响起,"难道你不想救赞得吗?快说出实话来!"这声音听起来,忽然觉得有点耳熟。

"法德昨天就把那个女子带走了,离开了我们的大帐。"她悄声无力地说,"不知道现在她在哪里。"

听完了这句话,那个神松开了她,像影子一样从后帐里消失了。过了一会儿,当希儿法回到后帐看到阿蒂亚时,她还在哆哆嗦嗦的颤抖中。

二十二
大猿的新娘

在完全黑暗的地牢里。

布莱克蹲在石头地面上,当他试着和同牢的囚犯说话时,只有一个人肯回答他。但是那个人的语言非常迟钝,这一点使布莱克相信,这个可怜的家伙,恐怕是在这个肮脏的地牢里囚禁得太久了,以致神经都变得麻木了。

布莱克向来习惯于自由、光明和主动。他不知道自己要在这可憎的黑牢里待多久,自己会不会也在铁链的一端变得神经麻木起来?他更不知道需要多长的时间,会使他变成湿地上的一堆白骨。

在这完全的黑暗和寂静中,是没有办法计算时间的,因为这里没有任何一样东西能让人知道时间。布莱克在这个窒息的地牢里到底蹲了多久了,他一点也无法知道。他曾经睡着过,可这究竟只是一次小睡?还是睡了整个夜晚或一个昼夜?他连猜都无法猜。现在究竟是什么时候了?一分钟?一小时?一月或者一年?在这里似乎都是没有意义的。在这里,只有两件事对布莱克是重要的:自由或者死亡。他猜想,也许用不了多久,他就会拥抱后者。

突然,不知从什么地方发出了一种声音,打破了这死亡地牢的寂静,布莱克注意地听着,声音渐渐清晰起来,原来是渐渐走近的脚步声。布莱克已经越来越清楚地听到他们往地牢走来了。后来,他看到一股闪烁的亮光透了进来,直到有一支松明照亮了整个囚室。起初,他久处黑暗的眼睛,被突然而来的光亮,刺激得看不见拿着火把来的究竟是什么人,但总之,他知道有人站在他面前了。

过了一会儿,当他眼睛习惯于光亮的时候,布莱克抬起头来,看见了两个武士站在他面前。

其中的一个说:"不错,就是他!"

另一个问道:"你不认得我们了吗?布莱克先生!"

布莱克努力靠近他们看了一下,他脸上马上露出了微笑,因为他看到那个年轻一点的人的脖子上,缠着一圈绷带,他马上认出了他是谁。

他说:"在这里,我并没有失去我的记忆。"

另一个年老一些的问道:"你这话是什么意思?"

"好吧,您二位来,肯定不是来给我胸前钉一枚奖章的。威尔卓得先生!"布莱克说这话时,带着一脸狡猾的微笑。

威尔卓得说:"你这是在跟我们打哑谜呢!我们是来使你自由的。年轻的国王不应该把坏心眼加在你身上,使我们圣墓城武士的高尚精神蒙羞。盖伊和我听说他要在火刑柱上烧死你,所以我们决定只要血液还在我们身体里流淌,我们就不能让一个有武士精神而且道德高尚的武士,受到暴君这样可怕的对待。"

在他们说话的时候,威尔卓得弯下身去,用一把锉刀去锉布莱克脚镣上的铆钉。

布莱克惊讶地大声说:"你们真要帮我逃跑吗?可是,如果你们被发现了,国王不会惩罚你们吗?"

威尔卓得说:"我们不会被发现的,我为像您这样一位高尚的武士服点务,即使担风险,也是值得的。今天晚上,在外堡的大门值班的正好是盖伊,所以,你经过那里没有什么危险,他可以放你过去的。你可以绕着山的一边走,回到尼玛城去。我们可没法让你穿过城堡的门走出去,因为那里有忠于鲍汉王的人把守。但是到明天破晓的时候,我或者盖伊可以给你找一匹好马,把你送到平原上去。如果一切都顺利的话,我想这是可能的。"

这时盖伊却非常好奇地问道:"你能否告诉我们一件事?这件事在我脑子里一直是个疑问。"

布莱克说:"什么事?你问吧!"

"就在鲍汉王的鼻子底下,你把闺娜塔公主抢回去,这事,你可做得真够漂亮的!而且,当时没人知道你们去了哪儿。"过了一会儿,盖伊长官又继续说,"可是后来却有人看见,公主被撒拉逊人掳走了,这到底是怎么回事?"

于是,布莱克把他从鲍汉王手下人手里抢走闺娜塔公主以后的事,都详细讲了一遍,当他讲完的时候,脚镣也正好被锉开了,他站了起来,完全成了一个自由人。

威尔卓得领着他通过秘密通道,到了他的住处。在这里,他让布莱克吃饱喝足,给他换上了新衣,还拿来了一套盔甲。因为,现在威尔卓得和盖伊知道,他要骑马走一条全新的路,或许要走出到外面世界去,所以,他必须很好地武装起来,而且要骑一匹好马。

到了半夜,威尔卓得领着布莱克,偷偷穿过堡门,骑着马很快地领他到外碉堡。盖伊正迎候着他们,没有多久,他们就顺利地通过了外碉堡。布莱克向这两位有骑士精神的"敌人"道了谢,并向他们告别,骑上他们为他挑选的非常得力的马,爬上圣墓山山顶,寻他的路去了。

有一群大猿,正在它们的王——托亚特的带领下,从一棵倒掉而又腐烂的树干上,找一些甜美多汁的虫子咀嚼。猿王的周围是同一族的大猿们。现在已经是下午了,许多大猿都已吃饱,躲在树荫下歇凉,离它们不远有一湾清水池塘。它们现在既满足又平和,这世界对它们是太慷慨了。

这时,正有三个人逆风向它们走来,所以他们的气味没有引起大猿们的警觉,当然,人的嗅觉更是迟钝的,他们也闻不到大猿的气味。头一天晚上刚刚下过雨,空气清新,地面湿润,人们走来也没有什么脚步声。他们三个人走得有气无力的,因为他们已经有两天没有吃东西了,他们现在很想猎点什么小动物吃。

他们当中,有一个头发已经有点灰白的中年人,他正在发烧,靠在路上捡到的一根枯树枝,支撑着蹒跚前行。他们之中的另一个,是生就一副贼眉鼠眼的贝都因人,手里拿着一支长长的火枪。第三个人是个女子,她的服装虽然式样高雅而且质地良好,但是却已沾了不少污泥,而且衣服的下摆有些地方已经磨破、扯烂了。她的脸上抹着一道道灰尘,比较消瘦,尽管如此,仍然掩不住她美丽的秀色。她走得很吃力,因为身体虚弱,甚至经常被地上的不平坦处或树枝绊倒,但她仍未丧失某种王室的风度,这些,都没有使她高傲的气质降低下来。

贝都因人走在最前面,正是他头一个看到年轻的小猿在池塘边玩耍,它已经远离开树林边的大公猿托亚特了。啊!这可是好食物呀!贝都因人举起他的火枪进行瞄准,最后,他扳动枪机开了火,接着是火药爆炸声,夹杂着受伤的小猿恐怖和疼痛的嘶叫声。

大公猿跳起来就跑了,这个行动究竟是被塔曼戈的火枪轰鸣声吓的呢,还是想要报复伤害小猿的敌人?天晓得!看样子,它们今天似乎选择的是后者:复仇!

托亚特率领猿群,可怕地咆哮着,大公猿摇摆着向前走来。这时三个人同时看到一群毛茸茸的可怕动物,循着法德的枪声走了过来。他们现在考虑的是,究竟是拼死一搏,还是无望地被对手咬断喉管。

最后,法德和斯廷保还是选择了逃命,他们转身向来路上飞跑而去。胆小的贝都因人,逃跑时将走在后面的闺娜塔推到一边,似乎想用她挡一挡追来的猿群,然后两个男人夺路而逃。领头的公猿这时看到了摔倒在地上的女子,跳到她身上就要咬断她的喉管。这时恰好托亚特走过来,急忙把那只公猿拉开,因为大猿王懂得她是一个雌性的塔曼戈,它曾经见过这种可爱的动物,它决定要弄一个去当它的配偶。

这时,被它推开的那只大公猿看到猿王要占有它的战利品,对猿王的霸道行为十分愤怒,于是向托亚特发起了挑战。它露出了獠牙,发出了咆哮。托亚特正把那女子拉向了池塘,大公猿就在这时向托亚特发起了攻击。

人猿泰山·泰山和十字军　245

托亚特转身咆哮道:"滚开！这是托亚特的母猿！"

另一个大公猿毫不让步地说:"它是哥亚得的！"

托亚特更大声地咆哮道:"我杀死你！"

哥亚得向前走来，托亚特突然用它毛茸茸的大手臂拉住闺娜塔跑向丛林里去。那个叫哥亚得的大公猿也不示弱，在后面又吼又叫地追了上去。

公主闺娜塔恐惧地大睁着眼睛,吓得浑身打战,拼命想从这浑身长毛的动物手中挣脱出来。她从来没见过也没听说过大猿这样的动物，她以为这是圣墓谷以外的世界上存在着的讨厌的低等居民。从来没有任何人告诉过她世界上还生存着这么一种生物。她只知道在圣墓谷外,很遥远处,有一个可爱的叫英格兰的地方。除此之外,世界上还有什么,她是连猜也猜想不到的。但现在她亲眼看到了这些可怕而又讨厌的生物。

托亚特没有走多远，它这样拉着一个女子是跑不快的,但是,它又绝不想放弃她。于是它立刻转身向哥亚得怒吼起来,哥亚得却也不示弱,也照样口吐白沫地吼起来,连毛发都直立起来了。这简直是一幅罕见的野蛮愤怒对阵的场景。

托亚特不得不放开拉着的女子,全力准备应付对手的进攻。而这时的闺娜塔,由于两天来没有吃东西,身体虚弱,坐倒在地上,只是不断地喘气。

托亚特和哥亚得此时已全力投入了战斗，两个都顾不得其他了。闺娜塔不是正好趁这个机会逃跑吗？可是她太虚弱了,实在无力去抓住这样一次机会,反而呆呆地,似乎忘记了恐惧,观看着这场战斗。这就像两个男子在为得到她进行决斗一样。

其实,在观看这场原始而野蛮的决斗的,不光是闺娜塔一个,在低矮的灌木丛中,还隐藏着另外一双眼睛,带着某种兴趣,也在目不转睛地看着这一对决斗的大猿。托亚特和哥亚得由于全付精力集中在即将展开的战斗上,因而没有注意到一个非常明显的现象,那就是灌木丛的树叶,时不时地在动,而这正是那另一个看客隐藏着的地方。这另一个看客的每一次移动,每一次喘息,都使灌木丛的树枝和叶子晃动起来。

也许因为这个看客厌倦了观看这场比赛,也许因为它趴伏得太久了,想舒展一下自己,于是它站起来,走向开阔地。现在,它已全身显现,这是一头浑身披着金色毛发和鬃毛的雄狮,它的黄色外衣,在太阳下闪着金光。

托亚特首先看到了它。它咆哮一声,把它的对手和闺娜塔都留给了上帝,它不顾一切地逃跑了。

哥亚得却误以为对手怕了自己,它得意地用两手捶打着胸脯,一面按照惯例,发出表示胜利的长啸,然后蹒跚地走向它的战利品。

但就在这时,哥亚得突然发现在它和女子之间,赫然站着一头狮子!它正用严厉而可怕的眼睛瞪着自己,于是哥亚得停了下来。这时狮子和它的距离,只需一跳就可以扑倒它,哥亚得不得不后退了,迅速转身逃走了。

狮子并没有追赶它,尽管大猿一面跑向丛林,一面不断回头观望,不时发出一声不甘心的咆哮。直到它跳到树上,隐身在了树叶之间。

狮子转身向那女子走去,可怜的公主既绝望又恐惧。她只能躺在地上,睁大了眼睛,注视着这位兽中之王向她走来,她准备着自己被撕扯得粉碎。兽中之王看了她一小会儿,然后慢慢地走近她,闺娜塔攥紧了双手,心里暗暗地祈祷,不是为了求生,因为她早已没有了生还的信心,她只是祈求上帝让她死得快一些,少些痛苦。

这凶猛的兽王一步步向她走近,闺娜塔闭上了眼睛,为的是不想看到让她恐惧万分的景象。她感觉到兽王鼻孔里喷出的热乎乎的气息,直吹到她的面颊。她静静地不敢动,狮子在她周围闻来闻去。她心里暗想:上帝!为什么它还不来吃掉我呢?痛苦而紧张的神经,使闺娜塔再也无法忍受下去了,她终于昏了过去。上帝怜悯她,使她暂时终止了难以承受的精神折磨。

二十三
泰山家的金毛狮子

伊本扎得带着残部正转向西去,他们神经紧张,匆匆忙忙,为的是早一些逃出这令人憎恶而可怕的丛林。这时,阿布得阿兹等人正离开猎豹丛林向尼玛城前进。这些人再没有和伊本扎得的人相会。哥伯瑞的武士们已经发现贝都因人的行踪。这些尼玛武士的铁骑不顾原始火枪雷鸣般的威胁,挺起长矛径直向撒拉逊人冲杀而去。这场战斗的结果是,十字军的后代虽然有些轻微的损失,但他们到底在经过七个半世纪的沉默之后,又一次响起了胜利的欢呼,并且郑重地宣布了一次新的胜利。在保卫他们神圣土地的战斗中,似乎继续了那永远没有结束的战争。

与此同时,从北面却来了一位身披盔甲的武士,他骑着马穿过丛林,直奔加拉而来。蓝色和银色的三角旗,在他的长矛尖上飘扬着,他胯下高大的战马,灿烂的马衣也闪着金银的色彩,这个人的披挂和所用的武器,正是来自圣墓城威尔卓得宝库的赠品。那些加拉人,从远处就睁大了眼睛,看着这威武的而又身着古装的人,没等武士走近,加拉人就吓得落荒而逃了。

人猿泰山却正向西游荡而去,他从地上发现了法德、斯廷保和闺娜塔的踪迹,他就循着脚印,向南追踪下去。

向北方前进着的,还有一百个健壮的黑武士,那就是泰山庄园上的勇敢而忠心的瓦齐里人,和阿蒂亚的爱人赞得。一天,他们遇上了一组新鲜的脚印,正好与他们前进的方向交叉而过,是向西南走去的。这些脚印有贝都因人拖鞋的印迹,能看出是两个男人和一个女人。当瓦齐里武士把这些指给赞得看时,他发誓说他认得那女人的脚印就是阿蒂亚的。因为任何人都没有他更了解她的脚的大小和形状以及她拖鞋鞋底的做工式样。他请求瓦齐里人暂停原来的方向而帮助他去找他心上人。瓦齐里人的队长正在考虑他的要求,一阵急促的脚步声从丛林中传来,引起了大家的注意。

一个脚步踉跄的人走了过来,正是法德。赞得一下子就认出了他,原来的疑团也一下子就弄清楚了,那脚印肯定是阿蒂亚的了。

赞得气哼哼地走近法德,问道:"阿蒂亚在哪?"

"我怎么知道?我已经有好多天没有看见她了。"法德回答时,显出诚实的样子。

"你撒谎!"赞得大叫起来,指着地上说,"这是她的脚印,你的脚印不就在她的旁边吗?"

法德忽然露出了狡黠的目光,因为他觉得自己找到了一个机会,捉弄一下他所憎恨的这个人。他耸了一下肩说:"既然你知道,你就应该什么都知道了。"

"那么她现在在哪儿?"赞得不放松地追问道。

"她死了!我就实话对你说了吧!"法德边回答边观察着赞得的表情。

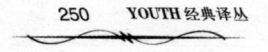

"死了？"赞得那痛苦的情感几乎可以熔化铁石心肠,而法德对此却一无所动,相反,他在欣赏着赞得的痛苦。

法德想给他的情敌更多加一点痛苦,继续一字一句地说道:"我从她父亲的大帐里把她偷带出来之后,有好几天的工夫,白天黑夜她都是我的。后来,一个大猿从我这里把她抢走了,现在她准是死了。"

法德没想到,这一下他可把事情弄得太过火了,给自己惹了杀身之祸。赞得愤怒地尖叫了一声,举着他的匕首扑向前去,直刺进法德的胸膛,瓦齐里人还没来得及阻止他,法德更没来得及躲闪,匕首锋利的刀刃已经刺进了他的胸膛,法德颓然地倒了下去。

此后,赞得就随着瓦齐里人上路了。这时,他显得无精打采,目光迟滞地随着黑人的队伍向北方走去。而与此同时,在他们的队伍约一英里之后,走着一个疲乏消瘦的老人,他正发着烧,跟跟跄跄,时不时在路上绊倒,而且,经常是跌倒了就站不起来,就像一堆肮脏的老骨头。有时他躺在那里语无伦次,有时又像死去一样,一动不动。

人猿泰山此时从北方赶来,正好发现了闺娜塔和另外两个人的足迹。他料定他们是沿着弯弯曲曲的林间小路行进的,而他却顺着方向,直线地在树上跳荡追踪,所以,他竟和瓦齐里武士的队伍失之交臂。但也就在这时,泰山闻到了迎风吹来的一阵大猿的气味。

为了迎上这群大猿,免得它们伤害他要追的女子,泰山加快了速度。他非常怕这女子落入大猿之手。他到达大猿们常游荡的池塘边时,正好是托亚特和哥亚得双双把女子让给狮子,匆忙逃窜的时候。

当泰山找到了那些大猿,而它们也终于认出了泰山之后,泰山说,从脚印看,一个塔曼戈尼刚才穿过丛林,大家都指着托亚特。于是泰山转身询问猿王托亚特。

"你看到过'她'?"

托亚特竖起一根指头向南面指指,说:"努玛。"然后就继续找它的食物去了。泰山懂得大猿就是这样表达意思的,它们的一个词,就等于说了一大堆话。

"在哪?"泰山追问道。

托亚特指了一下它把闰娜塔撂给狮子的那个方向。泰山直接穿过丛林,沿着大猿所指的方向飞奔而去。他心里不免有些悲伤,因为他已经猜到可能看见的惨象,他估计最终或许只能从狮子口中夺下她的尸体,然后把她埋葬掉。

闰娜塔终于慢慢恢复了知觉,她没有立刻睁开眼睛,只是静静地躺在那里。不过,她自己觉得很奇怪,难道这就是死吗?可是她并没觉得有什么地方痛。

突然,她闻到一股带着温热的异味,这气味刺激着她的鼻子,而且她还觉得,离她很近的地方,有个什么东西在移动。这东西离她太近了,她甚至感到它就顶着她的后背,轻轻地在碰着她,她甚至能觉出它身体的热度。

害怕地睁开了眼睛,然后,又飞快地闭上了。她看到一头狮子,紧贴着她,伏在她身边,它的背就紧靠着她。狮子那高大的头,就在自己的头上面,它的黑色的鬃毛,几乎就在自己的脸上刷来刷去。它正在专注地望着远方。

闺娜塔非常平静地躺着,然后,她清楚地感到,甚至不能说是听到,狮子的胸膛里发出了一声咕噜声。

闺娜塔仿佛听到有什么东西向跟前走来。她相信决不是一个什么救援者,因为显然不可能有任何一个救援者,敢从这样一个狮子身边把她救走。

这时,大约在一百英尺的前方,响起了一阵树枝的碰撞声和摩擦声,她把眼睛睁开一条缝,只见一个半人半神的大汉,从树上落到地上。狮子站起来面对着来人,他们互相对视了一瞬间,就听那人喊道:

"扎得巴尔查!过来!"

大金毛狮子听到这声呼唤,立刻站了起来,嘴里还发出呜呜的声音,跑过前面的空地,站到那个人的跟前。闺娜塔看见这头大狮子,抬起头看着那个人,摇着尾巴,显出很亲切的样子,那人则爱抚地拍着狮子长满鬃毛的脑袋。两个都像久别重逢的亲人一样。就在这时,那个不知是人是神的大汉的眼睛落到了闺娜塔身上,当他看出这女子并没有受伤的时候,她看出他的眼光里显出一种兴奋而喜悦的神情。

人猿泰山离开狮子,径直走到闺娜塔公主跟前,伏下身来问道:"你是闺娜塔公主吗?"这时,她已虚弱得发不出声来,心里却感到非常奇怪,这个人怎么会知道自己的名字呢?

"你受伤了吗?"他问道。

她摇摇头。

他以一种轻柔的声音向她说:"不要害怕,我是你的朋友,你现在安全了。"

他的声音,有一种使闺娜塔放心而且可以信赖的安全感,在这种情况下,即使她父亲手下的任何一位顶盔贯甲的武士,也不可能给她这种安全感。

她简单地回答说:"我不害怕了。"

泰山又问道:"和你一块走的伙伴都哪里去了?"

她慢慢把发生了的事都告诉了他。

泰山听完之后说:"你能把他们都摆脱掉就最好了,我们也无需再去找他们。丛林会按照自己的方式处理他们的,而且,会给他们找一个最适合的时间。"

那女子这时才想起来问:"那么,你是谁?"

"我是你认识的一个人的朋友,这个人就是詹姆斯·布莱克。"泰山又继续说道,"我和他都在找你,我叫泰山。"

"你是布莱克的朋友吗?"闺娜塔高兴地问道,"啊!可爱的先生!那么你也是我的朋友了?"

人猿泰山笑起来说:"永远是!"

闺娜塔公主又问道:"那么这个狮子为什么不杀死你?泰山先生!"她还以为他仅仅是个普通的武士呢。因为在她的王室周围,她只见过武士。自从第三次十字军东征,除了亨利二世的私生子——亲王哥伯瑞的祖先之外,登陆非洲的全是武士,他们再也没有人接触过英国王室。

泰山看了看金毛狮子,回答闺娜塔公主说:"你问为什么狮子不杀我吗?这头狮子叫扎得巴尔查,它是我从小养大的,从我把他领到我家一直到今天,它只知道我是它的朋友,它一直都和人类生活在一起。不过,狮子毕竟是狮子,刚才,我看见它伏在你身边时,还真有点害怕,我真怕它伤害了你,幸好它是在保护你。"

公主又问泰山:"你住在附近吗?"

泰山回答说:"不,很远。不过,这附近一定有我的人,这狮子一定是和我的武士们一道出来的,不然扎得巴尔查决不会独自跑这么远来。"

闺娜塔已经两天没吃东西了,泰山命令金毛狮子守在她身边,他去找些食物来。

泰山对闺娜塔说:"不要怕它,你要知道,有它在你跟前,没有任何敌人敢来伤害你。"

"我相信,其实它已经这样做了。"闺娜塔同意地说。

不一会儿,泰山就回来了,从丛林里带来了可吃的水果和坚果。公主吃完以后,泰山用坚果壳,从不远的水塘里,取了些水来给她喝。现在距天黑还早,于是他们一行三个,就动身前往尼玛城了。

闺娜塔身体还虚弱,泰山不得不时时扶掖着她往前走。那头金毛狮子找到了主人,似乎也特别高兴,气宇轩昂、雄视阔步地走在他们旁边。

在旅途中,泰山知道了许多关于布莱克在尼玛城的事,也明显地发现布莱克对公主的爱感动了她,因为在她的谈话中,经常无意间流露出来。他们也谈到布莱克遥远的国度,但关于这个远涉重洋的新国家,泰山也知道得不多。

到了第三天,他们终于来到了大十字架的跟前,泰山上前招呼了守卫者,告诉他们,他们的公主回来了。

闺娜塔再三邀请泰山和她一起进城,接受她父母的道谢。但是泰山告诉她,他必须马上去找布莱克,以免因为耽搁再生出什么节外生枝的事来。闺娜塔听了泰山的话,反倒希望他快点走了,最后她说:"你如果找到他,请告诉他,尼玛城的大门永远为他开着,闺娜塔盼望他归来。"

公主走上大十字架背后的山坡,走向进尼玛城的入口处,目送着泰山带着他的金毛狮子,走过了大十字架,踏上了一条远去的路。闺娜塔一直站在那里,目不转睛地看着他们,一直到一个拐弯处,丛集的树木遮住了他们远去的身影。

闺娜塔一直目送着他们,嘴里情不自禁地悄声说:"愿上帝基督保佑这可爱的武士,也保佑他们找到我爱的人,早日和他一道回来。"

二十四
团圆之路

布莱克骑马穿过树林，努力搜寻着任何一点点贝都因人的踪迹，他一会儿走向这边，一会儿又走向那边，顺着踪迹的线索追寻下去。

一天，他忽然走进了一处很大的开阔地带，这儿显然曾经有过一座土著人的村落，丛林似乎还没有蔓延到这里来。当他进到这块空地时，看到一头猎豹在空地的另一头趴伏着，而在它前面却躺着一个人，一动不动。起初布莱克以为那是一个死人，但是忽然间这个人向前爬了几步，似乎想要站起来。

猎豹咆哮了几声，向前走去。布莱克见那个人还活着，当然想救他，于是大喝一声，并催马向前。猎豹显然不愿轻易放弃它的猎物，它向布莱克发出愤怒的咆哮。

布莱克原以为他的战马是不敢走向猎豹的，而结果却大出他的意料，原来此地两个城堡的武士，都以猎豹丛林为捕猎场，他们经常以长矛为武器在这里进行狩猎活动。

所以，布莱克久经锻炼的战马多次面对过这种野猫和一些更大的动物。现在，他骑的这匹马丝毫没有胆怯和紧张的神情，直逼猎豹而去。那个几乎成为猎豹猎物的人，大张着眼睛，吃惊地看着布莱克和他的战马。

猎豹终于在它可以扑到的距离内跳了起来,迅速扑向战马和马上的人。当它跳起来时,并没有让过矛尖,以致整个矛尖和木柄都穿过了它的身体,布莱克费了很大力气才把长矛从猎豹的尸体里拔出来。当他做完了这一切时,他才骑着马,向那个躺在地上的人那里走去。

"我的上帝!"当他的眼光落到那个人身上时,布莱克不由得叫起来,"我的上帝!你不是斯廷保吗?"

"布莱克!"

年轻人急忙跳下马来。

斯廷保小声说:"我要死了,布莱克!在我离开这个世界之前,我想告诉你,我真抱歉。我像一个粗俗没教养的人一样地活着,我想,我就要受到应得的惩罚了。"

布莱克安慰他说:"不要在意,斯廷保!你现在还没有死。现在首要的事是把你弄到一个地方,给你弄点吃的,找点水喝。"说着,他弯下腰,把斯廷保虚弱的身体扶到他的马鞍上,说:"我刚才经过一个土人的小村庄,只要向回走几英里就到了。当他们看到我时都吓跑了,我看,在那里说不定能找到一些食物。"

斯廷保问道:"你到这里来做什么?你又是从哪里弄到这样一套装束的?看在亚瑟王的面上,告诉我这一切吧!"

布莱克回答说:"等我们到了那个村子,我再慢慢告诉你吧,这是一个很长的故事。现在我正在寻找一个姑娘,几天以前,她被贝都因人偷偷带走了。"

听了这话,斯廷保却吃惊地叫道:"老天!"

布莱克问道:"怎么？你知道关于她的事吗？"

斯廷保沉吟了半晌,说:"我就是劫持她的人之一。更确切一点说,我们是从别的阿拉伯人手中,把她劫持过来的。"

"她现在在哪儿？"

"她死了。布莱克！"

"什么？死了？她是怎么死的？"

"一群大猿把她弄走了,我想,这个可怜的孩子一定是立刻就被杀死了。"

布莱克沉默了好长一段时间,他低着头走着,就好像他的头盔太沉重,压得他抬不起头来一样。他拉着他的战马,只管木然地顺着小路向前走着。

"那些阿拉伯人伤害过她吗？"布莱克终于问了一句。

斯廷保回答说:"不,没有。酋长抢了她来,不过是为了获得一笔高额赎金,或者把她带到北方去,能卖个高价钱。但是法德又为了他自己,把她偷偷带走了。法德之所以要带上我,因为我答应过他,如果他能把我带出非洲,我可以给他很大一笔钱。这一路上,我尽力保护那个女孩免受他的侮辱,我明确告诉过他,如果他敢欺侮那个女孩,那么,他从我这里就一分钱也拿不到。尽管我很可怜这个女孩,可是我确实没有办法救她,但凡有一点可能,我一定会救出她的。"

当布莱克和斯廷保走近那个小村庄时,村里人见到他们,又吓得逃窜一空了。布莱克看了看,村子里什么都有,可以任他们取用,没用多久的时间,布莱克就找到了足够他们两个食用的食物。

布莱克先把斯廷保安置得舒舒服服之后,又给马找来了充足的饲料。他们一边吃着,布莱克一边开始讲述他的经历。可是就在这时,他们突然听到了许多人走近的脚步声和嘈杂的谈话声,光脚走路的声音让他们以为是村里人回来了。

布莱克决定以友善的态度对待回来的村人,但是他第一眼就大吃了一惊,原来走来的人并不是跑的村人。

不是的,这完全是另外的一群人。这是一些高大的黑人战士,他们头上都插着白色的羽毛,正顺着弯曲的道路向这边走来。他们每个人的背上,都背着一个椭圆形的长盾牌,而手里都拿着长矛。

布莱克说:"糟了,我猜,这一下我们可要进退两难了,大概是村里人把保护他们的'大哥'给请来了,他们准是来对付咱们的。"

这些战士都进了村子,当他们看到布莱克时,都吃惊地呆在那里了。他们之中的一个向他走过来,更让布莱克吃惊的是,他竟用很漂亮的英语向他打起招呼来:

"我们是泰山庄园上的瓦齐里人,我们在寻找我们的领袖和主人,你看见过他吗?宛那?"

哈!瓦齐里人!布莱克听了,不觉暗自庆幸。他一下子就明白过来,有办法了!如果仅仅是他一个人,恐怕很难把斯廷保送回文明社会去,现在他感到他的忧虑一下子都消失了,他原来所想到的困难都迎刃而解了。

如果不是布莱克和赞得今晚心情都有几分悲痛,那么,对瓦齐里人和回来的村人来说,今晚会是一个更加快乐的晚会,因为这里有足够的木薯团子和家酿的啤酒,可以足吃足喝。瓦齐里人是不大会为泰山担心的,因为泰山就生长在这里,不可能有什么事难倒他。

当这一群黑人的领队被问及他的主人时,他毫不犹豫地说:"我们的大宛那泰山决不会死。"他口气中所表露出来的坚定信念,使布莱克不能不相信他的话里含着某种真理。

这时,有一群贝都因人,沿着林间的小路既疲惫又迟缓地走着,特别是那几个背着沉重包袱的人。妇女们的手里也拿着不少东西。伊本扎得不时用贪婪的目光看一眼掠夺来的珠宝。忽然,一支箭不知从什么地方飞来,正好射穿伊本扎得旁边一个背珠宝包袱的人的胸膛。箭从后面射来,那人一头栽倒在伊本扎得脚前。接着,有一个声音好像来自丛林的空中,缓慢而且低沉:"劫掠珠宝的人必死无疑!"

吓坏了的贝都因人不得不走得快些。谁是下一个呢?他们甚至想丢掉珠宝逃命。但是,贪婪的伊本扎得绝不会允许他们这样做。他们回头向队伍的后面看,一眼就扫见了一头毛色金黄的雄狮!它似乎并不想追他们,而是有意跟他们保持一段距离,只是大步而悠闲地跟在他们后面。

一个多小时过去了,狮子只是紧紧跟在后面。不用人催,队伍里所有人都像很听话,没有一个人愿意落在后面。

又一个小时过去了,狮子仍然慢步在队伍的末尾,总走在人们回头就看得见的地方。伊本扎得的队伍纪律从来没有这么好过,每一个人都想往前赶。

忽然,又一个背着包袱的人大叫了一声,一支箭又穿透了他的胸膛。"劫掠珠宝的人必死无疑!"那带着回响的嗡嗡声,令人毛骨悚然的话语,又从丛林的上方响起了。

那些仍旧背着包袱的人,看到这个情景,都把装着珍宝的包袱放在地上说:"我们再也不背这该诅咒的东西了,不但把人压得要死,而且有两个人已经丢了命了!"一个人领着头一喊,大家都喊成一片。接着,丛林上空又响起了那可怕的声音:"伊本扎得把这些包袱背起来!"伊本扎得开始吓愣了,没动,那可怕的声音更严厉地说道:"拿起这些珠宝来,这是从被你杀害的人那里得来的,拿起它们来!贼子!杀人犯!你亲自把它们背起来!"

听了这种带命令口气的话,贝都因人把分散在几个人手里的包袱,都集中在一起,包成一个大包袱,把它抬起来,架到伊本扎得的背上。老酋长被压得弯腰弓背,脚步踉跄起来。

伊本扎得终于受不住了,大声喊道:"我背不动它们,我老了,我没有力气了!"

"你不拿,就死!"还是那个低沉的声音,一字一板地响过天空。这时,那狮子却站在队伍的不远处,雄赳赳地盯着他们。

伊本扎得在大包袱的重压下,更加一步一哼地走着,不断地喘着粗气。他现在已经没法跟上别人了,越落越远,只有狮子紧跟在他身后,有时甚至走到他旁边来。不一会儿,阿蒂亚对伊本扎得的危险处境实在看不下去了,她拿起一支火枪,走到她父亲身边说:"我虽然不是你所渴望的一个儿子,但是我要像一个儿子一样地保护你。"

当这群贝都因人跌跌撞撞地走进一个村子时,天色已是黄昏。他们被一群约有百人的高大黑人包围起来,当他们终于明白他们腹背受敌的严峻处境时,他们的恐惧心理已经达到了顶点。

于是,瓦齐里人的队长立刻下令解除了他们的武装。

赞得站出来问道:"伊本扎得在哪儿?"

有一个人回答说:"他在后面,就要来了。"

他们都向来路望去,赞得看见有两个人影正向这里走来,一个男人弯着腰,背上压着一个极大的包袱,看不到脸。而另一个是个年轻的女子。一开始时赞得并没有注意到在这两个人的背后还走着一头狮子,当他看清那女子时,他已喜不自胜。他满面红光地跑上前去,心激动得猛烈地跳着,一边抓住那女子的胳膊,一边喊道:"阿蒂亚!"

伊本扎得吃力地摇晃进村子,他从沉重的包袱下面看了一眼周围强壮的瓦齐里人,个个一脸严肃,他一下子跌倒在地上,再也不动了。他身上的珠宝,把他的头和肩都压在了底下。

希儿法看见她的丈夫倒在地上,想走过去看一下,刚走到跟前,她不禁大叫了一声,抬起颤颤的手,指着他们刚走来的路。大家望去时,只见一头金毛雄狮以稳健的步伐走进了村里,篝火的火光正好把它照亮,而在它身后走着的,正是丛林之王——泰山。

当泰山走到近处时,第一个奔上前去的是布莱克,他紧握着泰山的手说:"我们都来晚了。"一边说一边显出很悲伤的样子。

人猿泰山莫名其妙地问:"你这话是什么意思?"

"闺娜塔公主已经死了!"

"你瞎胡说什么呀!"泰山大声喊道,"我今天早上刚刚在尼玛城和她分手。"

布莱克怎么都不信,以为泰山故意安慰他。泰山反复十多次向布莱克保证,他实实在在不是在开残酷的玩笑,详详细细讲述了他和闺娜塔是如何相遇,如何把她平安地送回尼玛城的,最后泰山还告诉他分手时闺娜塔带给布莱克的话。

布莱克听了,简直像从一个迷梦中醒来一样喜悦。这时,斯廷保却请求布莱克,叫他无论如何也要请泰山到他的帐篷中来一下。

"感谢上帝!"这个老人一见泰山就情绪激动地说,"我以为我已经把你杀死了,这件事一直折磨着我。现在我才知道那被杀死的并不是你,我心里好过多了。我相信我会好起来的。"

泰山说:"我会告诉他们好好照顾你,一直到你好起来,斯廷保!等你身体恢复了,他们立刻送你到海岸去。"说完以后他就起身走了出去。泰山对于一个差一点杀死他的人,尽管会负责到底,但决不会佯装出什么好感的。

第二天,大家都准备离开这个村子了。伊本扎得的贝都因人被十几名瓦齐里武士送到最近的加拉人村子。在那里,他们会被转交给加拉人,无疑,加拉人会把他们转卖到阿比西尼亚去。他们当中不包括赞得和阿蒂亚,他们恳求泰山收留他们,做他庄园上的居民,泰山答应了他们。于是他们跟着瓦齐里武士一起上路。

斯廷保躺在担架上,由几个瓦齐里武士抬着,送他向口岸走去。其余的人都准备回泰山的庄园。泰山派了几个武士,扛着那几包珠宝,将伊本扎得抢劫的财物没收。

布莱克却又把他的盔甲穿戴了起来,并且跨上了他的战马。